BÜZZ

© 2018 Buzz Editora

Publisher ANDERSON CAVALCANTE
Editora SIMONE PAULINO
Projeto gráfico ESTÚDIO GRIFO
Assistente de design LAIS IKOMA
Preparação LUISA TIEPPO
Revisão DIEGO FRANCO GONÇALES, JORGE RIBEIRO,
JULIANA BITELLI

Foto de capa MARCUS STEINMEYER
Ilustração ANDRÉ DEBS

Dados Internacionais de Catalogação na Publicação (CIP)
de acordo com o ISBD

A923p Augusto, Flávio
Ponto de inflexão / Flávio Augusto
São Paulo: Buzz Editora, 2018.
208 pp.

ISBN 978-85-93156-83-0

1. Negócios. 2. Administração. 3. Sucesso. 4. Empreendedorismo.
5. Desenvolvimento Pessoal. I. Título.

CDD 158.1 CDU 159.947

Elaborado por Odilio Hilario Moreira Junior CRB-8/9949

Índice para catálogo sistemático:
1. Administração: Negócios 658.4012
2. Administração: Negócios 65.011.4

Todos os direitos reservados à:
Buzz Editora Ltda.
Av. Paulista, 726 – mezanino
CEP: 01310-100 São Paulo, SP

[55 11] 4171 2317
[55 11] 4171 2318
contato@buzzeditora.com.br
www.buzzeditora.com.br

PONTO DE INFLEXÃO

FLÁVIO

AUGUSTO

Dedico este livro aos sonhadores, aos desajustados, aos que não se encaixaram muito bem, aos que ouviram que não teriam jeito e aos que não conseguem olhar o mundo com omissão, sem criticar e questionar.

Dedico este livro aos que não nasceram em berço de ouro, mas sonham em dar uma vida melhor a seus filhos, aos que desejam dar uma vida melhor para seus pais, aos que escolheram não se vitimizar, apesar de todas as contradições que os cercam. Dedico este livro aos que acreditam que é possível aprender a quebrar estatísticas, a romper as regras do senso comum e a aprender com quem já chegou ao topo e pode ajudar a encurtar as distâncias entre você e seus projetos.

Dedico este livro a você que nasceu, cresceu e sua maior preocupação é o que fazer com a herança de seus pais. Para você que sente o peso da responsabilidade da sucessão, mas ainda não se encontrou neste mundão. Para você que não conhece as agruras sociais, mas não é indiferente a elas. Para você que deseja realizar muito na vida, deixar sua impressão digital e fazer a diferença no mundo.

Dedico este livro a você, a única pessoa que seria capaz de me fazer passar madrugadas em claro escrevendo, lendo e revisando. Você, que sonha. Você, que merece a minha dedicação e respeito.

É para você que eu escrevi.

AGRADECIMENTOS

Quero fazer um agradecimento especial ao Anderson Cavalcante. O meu editor. Este livro não se tornaria realidade, se não fosse por sua dedicação e perseverança.

Livros de empreendedores normalmente são escritos por jornalistas especializados em escrever o conteúdo com o DNA do autor. São chamados de "ghost writers". Como minha agenda tem estado extremamente ocupada, um profissional começou a escrevê-lo por mais de dois meses. Quando li o material, estava muito bem escrito, mas não era eu. Não gostei e voltamos à estaca zero.

Este livro só saiu do papel porque eu e o Anderson decidimos trabalhar nas horas vagas, entre meia-noite e sete da manhã. A dedicação foi extrema todos os dias durante um mês, mas o resultado final valeu muito a pena.

Escrevi pessoalmente cada linha deste livro. Dei meu sangue e minha determinação nas linhas que aqui estão escritas. Faria tudo de novo. Aliás, vou fazer mais vezes.

Obrigado, Anderson Cavalcante. Sua dedicação me constrangeu, seu comprometimento me inspirou e sua paixão pelos livros explica o seu sucesso como editor.

Razões para comprar este livro 13

1
O CLIQUE DA AUTOCONFIANÇA 30

2
O BICO 52

3
EU NÃO VOU CONTRATAR VOCÊ 62

4
LARGUEI 7 MIL DÓLARES POR MÊS 72

5
QUANDO QUASE QUEBREI 86

6
A SAGA DA GESTÃO À DISTÂNCIA 102

7
DISSE NÃO PARA 200 MILHÕES DE REAIS 118

8
EU SOU GV 140

9
VIREI CARTOLA NOS ESTADOS UNIDOS 150

10
MINHA FILHA VOLTOU PARA CASA 164

O eterno recomeço 193   **Reflexões finais** 201

SE VOCÊ NÃO QUER REFLETIR SOBRE AS

DECISÕES QUE PODEM MUDAR SUA VIDA, NÃO COMPRE ESTE LIVRO

Um dos grandes dilemas da existência humana está num questionamento que, há séculos, tira o sono de milhões de pessoas em todo o mundo: de fato, temos livre-arbítrio, ou somos atores de um roteiro pré-definido que está escrito nas estrelas? Passamos por este mundo com a missão de escrevermos nossa história ou somos meros coadjuvantes de um jogo de cartas marcadas? Afinal, temos ou não temos o poder de escolha?

Toda essa discussão passa por vertentes religiosas, filosóficas e até mesmo políticas. Não vou me aprofundar em todas as correntes que defendem ou atacam veementemente o conceito do livre-arbítrio. Vou me ater somente ao fato de que, em muitos momentos de minha vida, estive diante de encruzilhadas que me exigiram escolher para que lado deveria seguir. Se escolhesse um lado, o roteiro da minha vida seria completamente diferente do que se tivesse escolhido o lado oposto. Logo, não vou levar em conta qualquer questionamento religioso ou filosófico sobre livre-arbítrio, e vou, tão somente me apegar à experiência empírica dos meus quarenta e seis anos, que me levaram a concluir que cheguei até aqui por resultado de algumas escolhas que fiz e que foram verdadeiros Pontos de Inflexão.

Tomamos decisões desde o primeiro minuto do dia. Decisões das triviais até aquelas que mudam um destino. Ao tocar o despertador, decidimos se levantamos ou se desfrutamos de mais dez preciosos minutos de sono na cama quentinha. Ao levantarmos, decidimos se comeremos um omelete ou um pão com manteiga; se tomaremos café ou um suco de laranja, ou, simplesmente, se tomaremos ou não o café da manhã, já que aqueles dez minutos a mais na cama podem ter nos custado sair sem comer.

São dezenas, centenas ou até milhares de decisões que tomamos todo santo dia. Muitas delas são decisões operacionais e partem de uma espécie de piloto automático, conduzidas por nosso cérebro de uma maneira quase que involuntária, já que, de alguma forma, ele percebeu que se tratavam de decisões corriqueiras e sem grande impacto em nossas vidas.

No entanto, há momentos em nossa caminhada – e não são muitos – em que as decisões a serem tomadas podem mudar o rumo de nossa história de maneira definitiva. Podem representar subirmos de patamar, escalarmos o degrau de cima, avançarmos algumas casas no jogo da vida, matarmos a nave-mãe e passarmos de fase, ou, simplesmente, tomarmos uma decisão que nos custará mergulharmos na estagnação, na melancolia e numa vida cheia de arrependimentos.

No gráfico ao lado, fica fácil observar o que é um Ponto de Inflexão. Vou dispensar o aprofundamento nas equações que geram um Ponto de Inflexão, limitando-me apenas a me apropriar desse conceito para descrever momentos de nossas vidas em que nossas decisões vão determinar para que direção seguiremos e que bônus ou ônus assumiremos.

Em outras palavras, tomamos milhares de decisões diariamente. Porém, algumas delas não são decisões corriqueiras. São decisões fundamentais. Decisões que têm o poder de mudar o rumo do roteiro de nossas vidas. A elas eu dou o nome de Ponto de Inflexão. É um conceito da matemática, mas que nos serve para ilustrar perfeitamente os momentos em que nossa vida pode tomar direções opostas a depender de nossas escolhas.

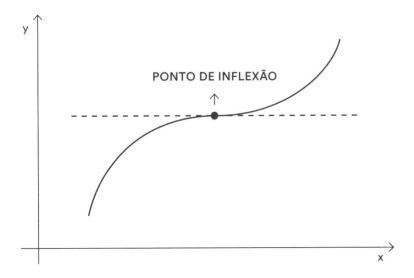

Uma pergunta importante: por que é fundamental identificarmos que estamos diante de um Ponto de Inflexão?

Voltando ao gráfico, fica fácil perceber a inversão da concavidade da curva. O Ponto de Inflexão está localizado exatamente onde essas concavidades mudam de direção.

Já na nossa vida, como tomamos muitas decisões, o risco que corremos é o de entrar no modo "piloto automático". O problema de viver nesse modo é que ele pode nos transformar em autômatos justamente nos momentos decisivos, tirando nossa capacidade de fazer escolhas conscientes e com protagonismo. Nesta hipótese, em vez de pensarmos fora da caixa, apenas seguiremos a boiada. Em vez de assumirmos as rédeas de nossas vidas, optaremos por deixar a vida nos levar.

Por isso, diante das milhares de decisões que tomamos, é fundamental, quando estivermos diante de um Ponto de Inflexão, conseguirmos identificá-lo a fim de darmos a devida importância para esse momento e para tomarmos as melhores decisões, com coragem e assertividade. Quando não sabemos identificar o Ponto de Inflexão, corremos o risco de perder o bonde da vida e ficamos para trás.

Como perceber que estamos diante de um Ponto de Inflexão?

Identificar um Ponto de Inflexão em nossa vida depois que ele ocorreu é muito fácil. O que seria de grande valia é saber identificá-lo no exato momento em que estivermos passando por ele. Isso teria um valor imensurável.

Vou começar citando um momento de muitos conflitos pelo qual a maioria de nós já passou: o final do ensino médio, quando precisamos decidir em qual curso e em qual faculdade entraremos. Adolescentes entram em depressão, têm crises de ansiedade, dúvidas e incertezas no momento em que "têm" que tomar uma decisão. Nessa hora, além das dúvidas naturais, sofrem pressão da família, amigos e sociedade. Um pai médico corre o risco de pressionar seu filho a ser médico para herdar o seu consultório, quando o filho deseja ser arquiteto. Todos os dias, conflitos como esse acontecem exatamente nesse Ponto de Inflexão da vida de um adolescente.

Do ponto de vista do jovem, a cada mês que passa, ao final do ensino médio, o momento crucial da tomada de decisão se aproxima de forma assustadora, já que a maioria não faz ideia de qual profissão passará a exercer pelo resto da vida.

Como se não bastasse, ainda vem a pergunta: o que fazer diante desse Ponto de Inflexão? Muitos são levados pelo fluxo natural e não percebem que estão diante de uma encruzilhada da vida, daquelas que vão decidir seu futuro, e simplesmente escolhem por conveniência, não por convicção. Não percebem o impacto que essa decisão causará em suas vidas e muito menos o universo de possibilidades que cada momento de decisão traz para elas. O pior é que, quando acordam desse sono profundo, descobrem que perderam muitos anos de suas vidas indo na direção contrária daquela que iria trazer mais sentido para elas – digo "sentido" como significado e direção. Voltando ao exemplo da faculdade que parte dos jovens decide seguir em frente, vejamos as alternativas:

1. Escolher pela vontade dos pais;
2. Escolher pelo que dizem as revistas;
3. Escolher pelo que se paga mais;
4. Escolher qualquer coisa, só para não deixar de escolher;

DECISÕES QUE
TÊM O PODER DE
MUDAR O RUMO
DO ROTEIRO DE
NOSSA VIDA.
A ELAS, EU DOU O
NOME DE PONTO
DE INFLEXÃO.

5. Não escolher nada e esperar ter convicção do que escolher;
6. Escolher empreender e estudar depois;
7. Escolher o curso mais concorrido, porque presume-se que é o melhor;
8. Escolher o que é mais barato;
9. Ficar paralisado e não escolher nada.

Eu escolhi não fazer faculdade, porque estava vendendo cursos de inglês e vi futuro naquilo, apesar de meus amigos e parentes não concordarem. Tudo poderia ter dado errado, mas o fato é que a escolha que fiz me levou a caminhos e portas que mais tarde se abriram, contribuindo para o meu crescimento e minha carreira como empreendedor.

Por outro lado, meu filho mais velho, que pretende empreender, vai entrar na faculdade no próximo ano para estudar finanças. Como ele ainda não está certo sobre qual área quer desenvolver seu negócio, ele entende que terá mais respostas enquanto estuda algo que gosta e que será útil em seus investimentos na Bolsa de Valores, hoje e no futuro.

O que quero dizer com isso é que não podemos nos permitir entrar no piloto automático da vida quando corremos o risco de tomar decisões sob pressão simplesmente porque todo mundo faz o mesmo. Não seguirmos o que todo mundo faz não significa ficarmos para trás. Muitas vezes, significa escolhermos outro caminho e chegarmos aonde o caminho convencional não nos levaria.

Por isso, é fundamental entendermos que, na vida, não existe apenas um caminho para nos realizarmos. Existem inúmeras possibilidades que poderão nos levar muito além do que imaginamos. Não existem fórmulas de sucesso, mas existem alguns princípios a seguir:

1. Nossos resultados são consequência de nossas escolhas – Vivermos com esta certeza deve nos trazer um sentimento de responsabilidade como o que um atleta sente ao levantar um troféu. Mesmo em momentos em que nossa vida não está como desejamos, ter essa certeza nos mantêm conscientes de que virarmos o jogo está em nossas mãos;
2. Nossas escolhas são livres – Não somos obrigados a nada, não temos que seguir a boiada, não precisamos fazer apenas o que as pessoas esperam, não precisamos seguir padrões, não temos apenas as opções que nos foram apresentadas. Temos que sair do piloto automático e assumir o controle. Não somos autômatos do sistema;
3. Deu certo? Parabéns para você. Deu errado? Sua responsabilidade. Não há garantias. Vitórias e fracassos andam juntos e misturados. Comemore o sucesso, mas saiba que ele pode não ser definitivo. Aprenda com os fracassos, mas saiba que eles também não são definitivos.

Para não ficarmos apenas na teoria, a seguir, vou descrever com detalhes uma seleção dos dez Pontos de Inflexão mais importantes que mapeei em minha jornada empreende-dora. Cada etapa, cada degrau e cada fase serão dissecados a fim de ajudá-lo a identificar circunstâncias similares que acontecem ou que ainda acontecerão em sua vida. De fato, identificarmos esses momentos, olhando em perspectiva para o passado, é muito mais simples do que percebermos quando eles aparecem, ao vivo e em cores, bem à nossa frente, durante o *reality show* da existência.

ESTA PARTE É PARA VOCÊ LER E COMPRAR O LIVRO

Todo Ponto de Inflexão exigirá uma decisão corajosa, pois frequentemente acontecerá em meio a dúvidas, conflitos e a uma grande expectativa de melhora de vida que poderá ou não acontecer. Essa incerteza é o tempero desses momentos decisivos de nossa existência. Por isso, sempre me lembro de uma pequena história que me marcou no início de minha caminhada.

No *Réveillon* de 1998, aos vinte e cinco anos, e em plena expansão de minha empresa, passei uns dias na cidade de Cabo Frio. Depois de descansar, logo após a passagem de ano, muito animado, eu e um grupo de cinco amigos, dentre eles um gerente comercial da minha empresa, decidimos ir à Praia do Forte, onde havia uma plataforma de setenta metros de altura, para saltarmos de *bungee jump*. A ideia de começar um novo ano saltando tinha um significado especial: iniciar 1998 com decisões ousadas e fora do padrão.

A animação era muito grande. Um dos amigos do grupo se lançou a ser o primeiro a saltar. Ele era o mais empolgado com a ideia e mal podia esperar para pular da plataforma. Ele colocou cuidadosamente o equipamento de segurança, subiu na plataforma e, juntamente com o instrutor, começou a subir, subir e subir. Ao chegarem no topo, lá ficaram por quase dez minutos, quando, sem meu amigo ter saltado, a plataforma começou a descer. Todos ríamos muito e esperávamos ansiosamente sua descida, porque, pelo que tudo indicava, ele tinha amarelado. Não deu outra. Ele disse que não teve coragem de saltar de lá de cima. Todos rimos dele, que vergonha!

O próximo era eu. Sem titubear, coloquei o equipamento e disse a todos: "aprendam como não amarelar diante dos desafios". O mesmo sorriso com que recebi o amigo que tinha amarelado, levei comigo no rosto, estampado em minha autoconfiança, enquanto a plataforma subia. Antes da metade da subida, percebi duas coisas: primeiro, o vento era muito forte e a plataforma balançava muito. E, segundo, naquele ponto, não ouvia mais o som das risadas dos amigos, mas apenas o barulho do mar e do vento que batia forte no meu rosto. Nessa hora, conferi pela terceira vez o equipamento de segurança. A plataforma continuava a subir lentamente; no entanto, de forma súbita, o medo começou a dar as caras. Naquele momento, ainda que de forma disfarçada, o medo me fazia racionalizar um pouco mais a situação, trazendo-me perguntas do tipo: "O que estou fazendo aqui? Para que isso? O que quero provar com isso? Eu não preciso provar nada para ninguém... E se acontece algum acidente?".

Ao chegar ao topo, na parte mais alta do pêndulo formado pela plataforma, nós estávamos balançando muito por conta do vento. Digo nós, porque, atrás de mim, havia um instrutor. Ele me dava todas as dicas e me ajudaria no que fosse necessário. A única coisa que ele não faria era me forçar a pular ou me empurrar da plataforma. No *bungee jump*, diferentemente de uma montanha-russa, que nos coloca em uma posição completamente passiva – ou seja, uma vez que se está no carrinho, não tem mais como desistir – a decisão e a ação de pular é exclusivamente sua.

No topo da plataforma, com a metade dos dois pés para fora e a outra metade para dentro, para seguir o meu plano adiante, seria necessário eu tomar uma atitude completamente anti-intuitiva: pular por livre e espontânea vontade de uma plataforma de setenta metros de altura em direção ao chão. Não conseguia, mas um pensamento me ajudou a criar coragem e saltar: eu tinha um gerente comercial lá embaixo na certeza de que eu saltaria. Sendo eu o seu líder e referência de mentalidade para sua carreira, eu pensei que não poderia decepcioná-lo. Não gostaria de pregar coragem com minhas palavras e covardia com minhas atitudes. Foi muito difícil, mas eu pulei.

Foi uma sensação incrível! Uma mistura de medo com adrenalina e, por fim, um sentimento de alívio por ter tomado a decisão de saltar. Foi incrível, mas não saltei novamente nos últimos vinte anos.

Essa experiência me marcou e sempre me vem à mente quando penso nas decisões desafiadoras com as quais nos deparamos em nosso dia a dia. Como disse, algumas delas têm o poder de mudar a direção do roteiro de nossa vida.

Eu selecionei dez dessas decisões mais importantes e que foram verdadeiros Pontos de Inflexão em minha vida, mostrando meus conflitos e minhas dúvidas diante de cada um deles e como consegui ter a coragem necessária para saltar do *bungee jump* em cada caso. O meu objetivo ao compartilhar de peito aberto todas essas experiências é, mais do que tudo, ajudá-lo a traçar paralelos com os seus próprios Pontos de Inflexão, para que você possa

NÃO GOSTARIA DE PREGAR CORAGEM COM MINHAS PALAVRAS E COVARDIA COM MINHAS ATITUDES. FOI MUITO DIFÍCIL, MAS EU PULEI.

perceber todas as vezes que estiver passando por eles e aprender com os meus erros e acertos, que irei compartilhar a fim de que você possa tomar suas melhores decisões. Desejo que este livro o ajude a estar mais preparado quando chegar sua vez de saltar.

Boa leitura.

1

O CLIQUE DA AUTOCONFIANÇA

Meu pai era filho de carpinteiro e de uma dona de casa, **31**
criado na roça, como ele gosta de falar. Em sua pré-ado-
lescência, depois que sua mãe se casou novamente, seu
padrasto o conduziu a um colégio interno público, onde sofreu todo tipo de *bullying* e violência. Ao completar dezoito
anos de idade, chegaria a hora de sair da escola, quando
serviu o Exército como recruta. Lá ele ficou por mais de
trinta anos, onde seguiu a carreira de sargento.

Minha mãe também teve uma infância difícil. Um dia
seu pai não voltou para casa, deixando a família para trás.
Minha avó e seus três filhos agora precisavam se virar. O
jeito era lavar roupas e fazer pequenos serviços de cos-
tura. Minha mãe estudou pedagogia e se tornou professora de escola pública no Rio de Janeiro. Aos dezessete
anos de idade, ela se casou com meu pai. Um ano depois,
em 1972, eu nasci.

Até os 13 anos, precisamente em março de 1985, época
em que o rock nacional bombava e eu tocava guitarra,

ainda não tinha parado para pensar na vida, no meu futuro, sequer havia despertado para qualquer tipo de preocupação ou ansiedade sobre qual tipo de vida eu teria ou gostaria de ter.

Localizado na periferia do Rio de Janeiro e cercado de favelas por todos os lados, o bairro Jabour, onde eu morava, possuía uma população de classe média baixa, formada, em sua maioria, por jovens que estudavam em três diferentes escolas públicas da região. Eu estudei em duas dessas escolas. Até aquele momento, eu raramente saía do bairro. Ia a pé sozinho para a escola – uma caminhada que durava cerca de oito minutos – jogava bola na minha rua, soltava pipa na rua de baixo e visitava meus amigos nos vários prédios de nove andares, um ao lado do outro, onde eu também morava. Os apartamentos tinham cerca de setenta metros quadrados, com dois ou três quartos e um banheiro. Na minha casa nós éramos seis, dividindo o único banheiro da casa.

Tudo corria normalmente, até que, na primeira semana de aula de 1985, quando eu cursava a oitava série do ensino fundamental, o coordenador geral, interrompendo a aula, chamou por meu nome completo e pediu que eu saísse com todo o meu material. Ao sair, minha mãe me esperava. Surpreso ao vê-la, ela logo me disse que iríamos a Madureira. Pois bem, se Jabour era a periferia da periferia, Madureira era apenas a periferia, mas, até lá, levaríamos pelo menos uma hora e meia de ônibus, naquele horário que não era o horário de *rush*. No caminho, minha mãe me explicou o seu plano.

Algumas semanas antes, eu tinha tido uma conversa com minha mãe sobre o meu desejo de ser militar. Tinha ouvido uma conversa de alguns amigos sobre a carreira de oficial da Marinha e suas vantagens. Segundo eles, era uma carreira estável, segura, com boa remuneração e prestígio. Pensei: "gostei disso". O que eu não sabia é que, para entrar no Colégio Naval, parte da formação durante o ensino médio, o concurso era superconcorrido.

Minha mãe pesquisou a melhor forma para eu me preparar para esse concurso que, de tão concorrido, acontecia dentro do estádio do Maracanã lotado. Por isso, estávamos indo para Madureira, onde ficava a filial mais próxima de uma rede de cursinho que preparava para esse concurso, o que me faria encarar três horas e meia de transporte público lotado por dia. O preço para eu disputar de igual para igual com quem havia estudado nas melhores escolas do Rio de Janeiro estava apenas começando.

Sobre os valores, minha mãe pagaria por esse curso cem por cento de seu salário de professora da rede pública do estado do Rio de Janeiro, que era muito parecido com o valor da mensalidade. Ela tinha dois empregos, logo, com o outro salário, também de professora, ela poderia honrar com os seus compromissos. Então, ela me perguntou de forma bastante direta: "É isso mesmo que você quer? Você está realmente disposto a enfrentar esse desafio?"

Depois de ouvir dela a explicação de estarmos indo para Madureira, eu disse: "Sim, mãe. Se essa escola é a melhor, eu vou fazer a minha parte para ser aprovado nesse concurso."

Àquela altura, eu não tinha a menor noção do que me esperava. Minhas referências eram poucas e o novo mundo, ao qual estava prestes a ser exposto, era bem diferente daquele que eu estava acostumado, na bolha em que vivia. No entanto, embarquei naquela aventura, que começava com viagens em ônibus lotados. Dentro dos ônibus, vi assaltos, brigas, tiros, acidentes, atropelamentos, pedradas, assédios sexuais, piadas, vendedores ambulantes, religiosos fazendo orações, loucos gritando, discussões por causa de futebol, política etc. O dia sempre começava com emoção dentro do ônibus que cruzava da Zona Oeste à Zona Norte da Cidade Maravilhosa – que, daquele lado, não era tão maravilhosa assim.

No meu primeiro dia de aula, já percebi que tudo era diferente, a começar por meus colegas. Diferentemente de meus amigos da escola pública, muitos deles moradores da favela Cavalo de Aço e Marco Sete, na nova escola, os tênis usados eram de marca, o relógio, descolado, e o papo era bem diferente. Logo no primeiro dia, alguém me perguntou onde eu morava. Respondi com a voz bem baixinha: "Bairro Jabour". Ele respondeu bem alto: "Jaburu? Ô, Marcelo (que sentava do outro lado da sala), esse carinha aqui mora lá no Jaburu. Sabe onde é esse fim de mundo?" Todos riram.

Ainda tentando desconversar para não chamar muita atenção, corrigi: "Não é Jaburu. É Jabour". Não teve jeito. Nas primeiras semanas, eu passei a ser chamado de Jaburu pela turma. Eu ficava constrangido com o fato, mas o apelido não pegou e, pouco a pouco, fui me acostumando com aquela nova tribo e compreendendo como falar a sua língua.

No entanto, me adaptar à parte pedagógica não foi tão fácil. Apesar de sempre ter sido um bom aluno sem muito esforço, logo percebi que existia um novo nível de profundidade dos conteúdos apresentados em sala de aula, com o qual eu não estava acostumado. Isso fez com que eu chegasse à conclusão de que não era suficiente fazer o mesmo esforço que eu sempre fazia na escola anterior para ter notas altas. Tinha que mudar o ritmo. Do contrário, seria atropelado. A propósito, fui atropelado por várias matérias. Foi um ano bem complicado e, de repente, eu já estava chegando ao final dele com resultados bem abaixo dos desejados, principalmente em exatas. Apesar de um esforço maior do que nunca, quase fui reprovado na oitava série. O nível era muito mais alto. Eu precisava compensar a minha defasagem com uma dedicação maior, o que eu ainda estava descobrindo.

No final do ano, depois de conseguir me safar da recuperação em química e ser aprovado, chegou a hora do concurso. O resultado foi pífio, como não poderia deixar de ser. Passei de ano de raspão e no concurso não cheguei nem perto...

Francamente, não me senti frustrado. Na realidade, percebi que o meu nível era inferior mesmo, e se não tivesse mudado de escola jamais saberia disso. Estava exposto a uma nova referência. Apesar de sofrer por isso, gostei de saber sobre minha realidade e poder ter a chance de estudar para mudar aquele quadro.

Eu ainda não sabia, mas estava prestes a passar pelo meu primeiro Ponto de Inflexão. Como em todo Ponto de Inflexão, temos sempre duas opções: você pode ir para a direita ou para a esquerda.

No meu caso, ao final da oitava série, eu tinha exatamente duas opções:

1. Desistir de entrar no Colégio Naval. Para isso, bastaria eu prosseguir para o primeiro ano do ensino médio;
2. Não desistir de entrar no Colégio Naval. Para isso, eu teria que interromper o fluxo comum. Não me matricular no ensino médio e estudar por mais um ano, dessa vez num cursinho preparatório, para fazer o concurso novamente no final do ano seguinte, sem garantia alguma de que passaria.

Ao conversar com minha mãe e meu pai, eles me perguntaram o que eu gostaria de fazer. Respondi: "Eu escolho a segunda opção." Isso significaria "perder" um ano, aumentar minha carga de estudo, gastar novamente três horas e meia de ônibus lotado todos os dias, sem contar que minha mãe teria que pagar tudo do salário dela novamente por mais um ano. Tudo isso, aos quatorze anos de idade.

Por que fiz essa escolha?

Naquele momento, eu acreditava que a carreira militar, com a estabilidade e o prestígio de um oficial, representaria uma enorme mudança de vida. De fato, seria um grande salto social, financeiro, de relevância e *status quo*, já que meu pai era sargento do Exército. Então concluí: "Não avançar para o ensino médio não significaria perder um ano letivo. Significaria ganhar um ano em direção ao meu projeto, que era ser um oficial da Marinha."

É claro que, àquela altura, a decisão foi muito criticada por amigos e parentes, já que a perda do ano letivo é sempre considerada uma tragédia para qualquer aluno. Mas, para mim, a perda do meu objetivo, sim, seria um prejuízo muito maior. Logo, não me sentia perdendo. Eu estava fazendo um investimento de risco.

Com isso, iniciei, em 1986, um ano de muito estudo. Já familiarizado com a escola e com o perfil dos alunos, o segundo ano viajando todos os dias para Madureira foi menos penoso, pois já estava mais adaptado. No entanto, enquanto estava em casa, aumentei bastante a carga de estudo, deixando de sair, namorar e frequentar festas, muito comuns nessa idade. O meu foco era estudar para ser aprovado no concurso. Assim, me dediquei por um ano inteiro, até que chegou novamente a data da prova no Maracanã.

Em dia de prova, eu levava mais de duas horas para chegar ao Maracanã. Para não arriscar, eu sempre chegava três horas antes, para não participar do show dos atrasados. Quando entrei no estádio e sentei em meu lugar para fazer a prova, ainda me lembro da cena. O Maracanã lotado de jovens, sentados, em silêncio, aguardando a prova começar por mais de uma hora. Nesse tempo, ficava observando a cena, quase que em câmera lenta, dos empregados do estádio, que faziam a manutenção do gramado. Bem, abrindo um parêntese, é claro que, ao contemplar aquela cena do gramado durante a prova, eu jamais conseguiria imaginar que construiria o meu próprio estádio dali a alguns anos e o meu clube viajaria dos Estados Unidos para fazer um jogo amistoso contra o Flamengo, meu time desde criança, em comemoração ao aniversário de cem anos do clube, que aconteceu justamente naquele gramado do Maracanã. Fecha parêntese.

Eu fui muito bem na prova. Muito melhor do que no ano anterior, pois, de fato, estava muito mais bem preparado. Mas, infelizmente, não foi o suficiente. Era muito concorrido e eu ainda tinha algumas defasagens.

Daquela vez, confesso que fiquei abalado, pois, além de ter me dedicado muito, mas muito mesmo, sentia que tinha condições de passar, mas, como era um concurso, também dependia do desempenho dos outros concorrentes, que também tinham um nível bastante elevado. Afinal, era uma vaga para cada mil e quinhentos candidatos. Toda aquela situação desafiava muito minha resiliência e a convicção do que eu queria alcançar, o que me fez amadurecer bastante aos quatorze anos de idade.

Numa nova reunião com a família, para falarmos sobre o resultado do concurso, apesar de chateados, meus pais me apoiaram, por terem acompanhado o meu forte empenho. O resultado foi uma grande evolução, porém, não o suficiente. Logo, minha mãe me perguntou: "O que você quer fazer, Flávio?".

Não tive dúvidas: "Não quero ir para o ensino médio e desistir. Quero me preparar mais uma vez no cursinho em Madureira. Dessa vez, eu tenho certeza que vou passar."

Minha mãe ainda argumentou: "Você não quer entrar no ensino médio e fazer o curso preparatório de novo, em paralelo? Assim você não corre o risco de perder mais um ano.".

Pensei um pouco e disse: "Este primeiro ano do ensino médio que eu faria não me servirá de nada quando entrar no Colégio Naval, a não ser para tirar o foco de minha preparação para o concurso.".

Então, naquele terceiro ano consecutivo de preparação, o pacote completo de determinação entrava em campo de novo: três horas e meia em transporte público todos os dias e minha mãe pagando uma mensalidade que correspondia a cem por cento de seu salário, o que me deixava constrangido, mas sabendo que, ao passar, mudaria minha vida.

Estudei como um louco. Radicalizei. Foi um ano muito intenso. Comprava livros internacionais no sebo para fazer exercícios diferentes de matemática e fazia uma redação por dia – foi quando aprendi a escrever melhor. No meu quarto, todas as paredes e até o teto tinham conteúdos colados para que, para onde quer que eu olhasse, eu pudesse aprender alguma coisa. Não foram poucas as vezes que, ao estudar à noite, quando sentia vontade de dormir, pensava com frequência: "Alguém no Brasil ainda está estudando agora. Então, vou estudar mais uma hora.". Exagero? Talvez sim, mas ao lutar por um objetivo, os que estão determinados assumem o risco de exagerar para não negligenciar e perder mais um ano. Eu não podia mais fracassar, não podia impor mais um sacrifício para minha mãe, e o principal: eu queria muito passar, então, estava disposto a pagar o preço que fosse necessário para isso.

O fim do ano chegou. A véspera da prova também. Como foi difícil dormir naquela noite... Para chegar com três horas de antecedência, tinha que acordar bem de madrugada. Para chegar ao Maracanã, a melhor maneira era ir de trem. Para chegar à estação de Senador Camará, tinha que atravessar a favela Cavalo de Aço de madrugada. Não me lembro de ter medo naquela época. Eu era parte daquele ambiente. Só conhecia isso e lidava com aquela realidade com naturalidade.

No final do terceiro dia de prova no Maracanã, eu já sabia que tinha ido bem. Na realidade, estava esperando uma excelente classificação. O resultado levava cerca de um mês para sair. Que dias foram aqueles! Uma mistura de alegria, expectativa, dúvidas, medo ("e se algo deu errado?"). Chegou o dia do resultado. A lista completa de aprovados era publicada no Jornal dos Esportes, um jornal especializado em esportes que era impresso em um papel rosa. Quem é do Rio de Janeiro lembra!

Lembro-me até hoje de mim, com uma régua na mão, tremendo, procurando o meu nome na lista que era publicada em ordem de classificação. A lista já era a final. Ou seja, quem fosse aprovado, faria apenas uns exames médicos e, no mês seguinte, sairia de casa para morar em Angra dos Reis e entraria no processo de formação de oficiais da Marinha. Ou seja, uma mudança radical de vida. Tudo que eu sonhei e me dediquei por longos e duros três anos, superando limites, cruzando a cidade durante horas de transporte público e consumindo cem por cento do salário de um dos empregos de professora de minha mãe por todo aquele tempo.

Os olhos embaralhavam de nervoso. Aquelas letrinhas pareciam brincar comigo, movendo-se de um lado para o outro. Até que lá estava o meu nome: "FLÁVIO AUGUSTO DA SILVA". Sim, o meu nome estava na lista final dos aprovados. Consegui. Passei. Deu certo. Valeu a pena. Não sabia se chorava, se corria, se ligava para os meus pais (não existia celular)... Sei que eu sublinhei o meu nome, desenhei uma seta bem grande e fui rapidamente para casa para contar para os meus pais, que estavam ansiosamente esperando as notícias. Ensaiei chegar com a cara de triste, mas não consegui. Logo que entrei, eles me olharam e eu corri para abraçá-los. Sonho realizado.

No Jabour, os vizinhos, que antes me chamavam de coitado porque não conseguia passar nos concursos e já havia "perdido" dois anos letivos, passaram a me ver de outro modo. Meus pais contavam para seus amigos que eu tinha sido aprovado e eu, finalmente, respirei fundo e pude aprender que eu era capaz de conquistar qualquer coisa que eu quisesse. Bastava me dedicar e perseverar que eu seria capaz de compensar minhas limitações com muito esforço.

Essa autoconfiança foi conquistada depois de três anos, desde que minha mãe foi até a porta de minha sala de aula numa escola pública para me levar a Madureira pela primeira vez. Àquela altura, a descoberta de minha autoconfiança era um ingrediente muito mais importante do que eu era capaz de perceber.

Aqueles três anos foram resultado de algumas escolhas que eu fiz e de decisões que me conduziram ao meu primeiro Ponto de Inflexão. Naquele período, vi alguns amigos que foram reprovados no primeiro ano que desistiram e seguiram adiante no ensino médio. Vi outros que perseveraram no primeiro ano, mas ao serem reprovados na segunda tentativa, resolveram não assumir um risco maior se preparando para o concurso pela terceira vez. Sobre esses meus amigos que desistiram, pude ver que, em suas vidas, desistiram outras vezes de seus projetos quando esbarraram em dificuldades. No meu caso, ao ser aprovado em minha terceira tentativa, vi que valeu a pena a perseverança, ao mesmo tempo que percebia o arrependimento de todos os que desistiram. Eu não tenho dúvida alguma de que este meu primeiro Ponto de Inflexão foi marcante na formação de minha mentalidade.

Chegava o dia de parar de caminhar pelas nuvens, de cair na realidade, de arrumar as malas e de finalmente viajar para Angra dos Reis, que seria minha casa pelos três anos seguintes.

Todos estavam muito orgulhosos: meu pai, minha mãe, minha vó e minhas duas irmãs. Por outro lado, eu estava indo embora de casa aos quinze anos de idade. Uma mistura de choro de orgulho com choro de despedida. O dia 3 de fevereiro de 1988, dia tão esperado, foi o dia em que entrei pelos portões do Colégio Naval ao som do Hino Nacional. Tudo muito lindo!

No entanto, eu estava começando um dos períodos mais difíceis e contraditórios que já havia vivido. Não precisei de mais de 24 horas para duvidar de tudo o que para mim era uma enorme convicção, que me havia feito abdicar de dias e mais dias de lazer em favor de uma certeza: minha carreira na Marinha. Essa certeza desapareceu já nas primeiras horas da realidade vivida dentro do Colégio Naval.

O mundo militar é baseado em hierarquia, disciplina e rotina. Tudo é muito padronizado: você passa a fazer parte de um corpo e sua individualidade é desconstruída para nascer uma nova pessoa. Trocam o seu nome e agora você recebe um número. Todas as reações são provocadas através do que eles chamam de adestramento militar, que é baseado em estímulo-resposta provocado por líderes que davam as ordens. Nesse momento, o indivíduo perde qualquer autonomia e passa a ser um a mais na tropa.

Foram momentos de grandes conflitos no campo de batalha de minha mente. Se, por um lado, eu ainda estava anestesiado de felicidade, por outro, tudo o que estava vivendo era diametralmente oposto à minha expectativa.

No meio do período de adaptação, havia um dia de visita dos pais. Depois de algumas semanas dentro do sistema militar, a forma como recebi meus pais já dava algum indício para eles de que a coisa não andava nada bem. Apesar de ser meu aniversário, a maior parte do tempo eu fiquei calado, sem dar detalhes do que estava acontecendo dentro do Colégio, apesar de eles perguntarem bastante. Eu estava frio, distante, sem brilho nos olhos e bastante robotizado. Foi bom vê-los, sentir o abraço de quem te ama, ver de novo o sorriso de minhas irmãs menores, que sentiam saudades, mas, por outro lado, não creio que eles me sentiram da mesma forma. Estava distante, num lugar que nem eu sabia, dentro de enormes contradições, crises e dúvidas.

A adaptação acabou e logo tudo ficou melhor, mais próximo da normalidade, ainda que dentro do sistema militar, repleto de rotinas repetitivas e ainda com o típico adestramento de respostas automáticas. Vi que muitos colegas estavam mais à vontade e adaptados e outros até gostando do processo, mas eu carregava uma ferida muito difícil de ser cicatrizada. A adaptação definitivamente não me caiu bem. Sempre gostei muito de

ÀQUELA ALTURA,
A DESCOBERTA
DE MINHA
AUTOCONFIANÇA
ERA UM INGREDIENTE
MUITO MAIS
IMPORTANTE DO
QUE EU ERA CAPAZ
DE PERCEBER
NAQUELE MOMENTO.

ter controle sobre a minha consciência, provavelmente a razão pela qual eu nunca tenha ficado bêbado ou usado drogas. Gosto de mim com plena consciência e sensação de controle daquilo que me cerca. Acho que essa foi a razão de ter rejeitado profundamente a tentativa de invasão de minha identidade, de sequestro do meu eu e do achatamento de minha criatividade, imaginação e iniciativa própria, que eu usava para criar as minhas rotinas, em vez de ser padronizado por uma instituição. Apesar de minhas palavras duras na descrição de minha experiência nos primeiros dias no Colégio Naval, a memória que tenho da Marinha é de muito carinho. Estranho, não é? Não sei explicar a razão para isso, mas creio que, em meio a todos esses apuros, o vínculo com os amigos me deu uma certa compensação emocional diante de tudo isso. Sinto também que a experiência como um todo me ensinou bastante e me fez amadurecer de forma precoce.

A verdade é que não tinha perfil para ser militar. É claro que na época eu não tinha a menor noção disso, mas algo me incomodava e eu não me encaixei. Minha natureza sempre foi indomável e minha mente, mais criativa. Não consegui me sentir um a mais na multidão e reagi com rebeldia. O resultado não poderia ter sido positivo. Fiquei incontáveis fins de semana impedido de voltar para casa como punição. Esse ciclo vicioso cresceu como uma bola de neve. Sem maturidade, não conseguia tomar a iniciativa de sair, ao mesmo tempo que a pressão aumentava ao chegar ao final do segundo ano com mais punições e absoluta desmotivação. No final daquele ano, a Marinha me convidou a me retirar do Colégio Naval, por inaptidão para o oficialato. Uma espécie de certificado de incapacidade para liderar. Eu me lembro bem o momento, ao final de 1989, quando o oficial daquele dia, no último dia de aula, na última formatura do ano antes de sairmos de férias, chamou o meu nome. Fui lá para o meio do pátio, na frente de todos os meus colegas, e fiquei imóvel, esperando que todos saíssem. Fiquei lá no meio até os meus duzentos colegas irem para casa. Do meu lado, um colega que também foi solicitado. Nenhum de nós sabíamos o que estava acontecendo. Em seguida, fomos para a sala de outro oficial mais graduado. A dúvida e a expectativa nos contagiavam. Aguardamos até que o oficial chegasse na sala. Na cabeça, passavam-se muitas coisas, mas, de novo, eu não tinha a menor ideia do que me esperava nas horas seguintes. O oficial chegou e disse para nós dois, de forma bem direta:

"Augusto e Marcelo, o Colégio Naval não vai renovar a matrícula de vocês para o ano que vem. Isso é uma decisão definitiva e irreversível. Seus pais foram avisados e já estão a caminho de Angra dos Reis para conversarem pessoalmente com o comandante."

Naquele momento, eu vi o meu amigo colocando as duas mãos no rosto. Ele ficou desesperado. Eu me lembro de ter ficado aliviado. Estava acontecendo o que não fui capaz de fazer com minha própria iniciativa: chegar à conclusão de que eu deveria sair. A primeira coisa que me veio à mente quando saí da sala foi uma grande preocupação com os meus pais. A primeira coisa que fiz foi ligar para minha casa e falar com minha mãe para ver como ela estava. Foi mais ou menos assim:

"Alô. Oi, mãe."

"Oi, filho. Você tá bem?"

"Eu estou ótimo. E vocês?"

"Nós ficamos muito surpresos e preocupados."

"Mãe, não fique preocupada. Isso é o melhor. Não estou feliz aqui há bastante tempo."

"Fala isso para seu pai. Ele ficou muito triste."

"Deixa comigo. Beijos."

O meu pai foi à sala do Comandante para tentar convencê-lo a mudar de ideia. Quando me encontrou, não disse nada. Foram mais de duas horas de viagem até chegar em casa, sem falar uma única palavra. Ele estava devastado.

Os dias que seguiram foram bem complicados. Quando finalmente conseguimos conversar, ele não aceitava o fato. Mesmo eu dizendo que não queria mais a Marinha, porque não tinha perfil e não me enquadrava naquele modelo, ele dizia: "Quem não quer sai. Você foi expulso."

É claro que ele tinha razão, mas também era fato que eu não tive maturidade para chegar a essa conclusão estando no meio do processo. A comunicação era escassa, não havia internet e nem celular. Eu passava a semana toda distante e, como eu já mencionei, muitas vezes, por várias punições, passava mais de um mês sem voltar para casa. Por isso, a surpresa foi grande.

O ano seguinte, 1990, chegou, quando eu faria o terceiro ano do ensino médio. Ano de vestibular (na época, não existia ENEM). Eu estava absolutamente seguro e, por isso, passei em todos os vestibulares que prestei, para as melhores universidades do Brasil. Fazer prova não era mais um desafio para mim. No entanto, havia uma outra prova que decidi fazer sem que ninguém soubesse. A prova para a Escola Naval. Quando os alunos do Colégio Naval terminavam o ensino médio, eles ingressavam automaticamente na Escola Naval, que fica no Rio de Janeiro. No entanto, também havia um concurso para a Escola Naval, com poucas vagas. Eu resolvi fazer esta prova. Era um concurso feito em duas fases. Ao passar na primeira fase, peguei o jornal com o resultado e marquei o meu nome, exatamente igual como fiz quando passei no Colégio Naval, três anos antes. Chamei meu pai para bater um papo. Logo no início, entreguei a ele o jornal e não disse nada. Ele perguntou:

"O que é isso?"

"Leia."

"Aqui está escrito 'Resultado da Escola Naval'."

"Isso mesmo."

"O que isso significa?"

"Significa que o meu nome está aí."

"E você pode ir?"

"Claro que sim. É um concurso público."

"E aí?"

"E aí que eu não vou. Estou te entregando este jornal apenas para que você tenha a certeza de que eu não vou para a Marinha porque eu não quero, e não porque fui expulso."

A conversa terminou com um abraço e, de minha parte, penso que estava recuperando uma parte importante do respeito de meu pai que eu havia perdido com o incidente no Colégio Naval. Mas um outro fato interessante viria a acontecer quase três décadas mais tarde.

Em fevereiro de 2018, completaram-se trinta anos desde que eu e minha turma entramos pela primeira vez pelos portões do Colégio Naval. Foi a primeira vez que eu retornei àquele cenário tão marcante de minha história. Se parasse por aí já seria uma experiência muito emocionante. No entanto, o comandante do Colégio Naval, o Capitão de Mar e Guerra Serafin me convidou para dar uma palestra para os quase 600 alunos da instituição. Foi um dos dias mais emocionantes do ano, quando entrei novamente pelo mesmo auditório em que vivi tantos conflitos e, trinta anos depois, sem qualquer mágoa, ao contrário, muito carinho, retornei pela porta da frente para compartilhar minhas experiências como o empresário que me tornei em três décadas. Interagir com os alunos e fechar esse ciclo foi muito importante para mim. O Colégio Naval me entregou uma placa de homenagem e saí de lá com a alma lavada.

Bem, em 1991 eu estava preparado para começar minha faculdade de Ciência da Computação. Apesar de ter passado na Unicamp, decidi que estudaria na Universidade Federal Fluminense, em Niterói, Rio de Janeiro, porque não queria ficar longe de uma linda menina de quinze anos na época, chamada Luciana. Mas isso já é outra história.

PONTO DE INFLEXÃO

Um adolescente da periferia, estudante de escola pública, resolveu participar de um dos concursos mais difíceis do Brasil. Sua mãe pagou todo seu salário para que ele se preparasse. Ao final do ano, ele não só não foi aprovado no concurso, como quase não conclui a oitava série. Diante do fato, o que fazer?

1. Seguir para o ensino médio (decisão padrão);
2. Interromper o fluxo natural e repetir por conta própria o curso para prestar o concurso novamente.

Aqui fica claro que existia um Ponto de Inflexão. As duas alternativas o levariam a destinos bem diferentes.

No ano seguinte, o adolescente seguiu sua jornada rumo a mais um concurso. Sua mãe continuava dando cem por cento do salário, apostando em sua escolha. O final você já sabe. Diante do novo fracasso, as alternativas eram as duas primeiras, e surge uma terceira:

1. Seguir para o ensino médio (decisão padrão);
2. Interromper o fluxo natural e repetir por conta própria o curso para prestar o concurso novamente;
3. Fazer o ensino médio enquanto faz o curso novamente.

Diante de mais um Ponto de Inflexão, a decisão permaneceu com foco total no mesmo objetivo. Amigos que estavam no mesmo caminho abandonaram o projeto e seguiram outra direção.

Ao optar pelo concurso pela terceira vez, o objetivo foi finalmente alcançado com sucesso. Na Marinha, o adolescente não se identificou com o sistema militar. Diante do fato, o que fazer?

1. Sair da Marinha imediatamente;
2. Ficar e ver no que vai dar;
3. Tentar mudar a Marinha.

Neste momento, o adolescente escolheu uma mistura entre a segunda e a terceira alternativa. Escolha feita e consequências assumidas. Um equívoco de análise, resultado de uma imaturidade, que custou caro.

Voltando para casa, o adolescente teve que lidar com a frustração dos pais. Ao ouvir de seu pai que quem não quer sai por conta própria ao invés de ser expulso, não gostou de lidar com o desprestígio. Diante do fato, o que fazer?

1. Engolir o desprestígio e seguir a vida;
2. Reconquistar o respeito do pai sendo aprovado novamente no concurso e se negar a ir.

Neste capítulo, eu falo sobre um episódio de minha vida que contribuiu para a construção de minha autoconfiança, quando me deparei com um fracasso e, por fim, reconquistei o respeito de pessoas com quem me importava, os meus pais. A depender da perspectiva, ficar três anos estudando para um concurso, para dois anos depois ser expulso é uma tragédia. Porém, acima de qualquer coisa, a experiência de superar com a minha dedicação por três anos as deficiências da escola pública fez com que eu me sentisse capaz de realizar qualquer coisa em minha vida, desde que eu me dispusesse a me dedicar e a pagar o preço de minha escolha. Além disso, depois de aprovado, ao ver a tristeza e o arrependimento de meus amigos, que desistiram em vez de perseverar junto comigo, me deu a certeza de que dedicação extrema e perseverança foram ingredientes para o meu sucesso. Eu também não poderia esquecer do investimento extremo de minha mãe, que aportou 100% de seu salário, mostrando que é preciso investir para se ter resultados. Essa experiência talhou minha autoconfiança e deixou marcas profundas em meu eu, que estiveram presentes em cada Ponto de Inflexão que eu viveria nos anos seguintes.

2

O BICO

É incrível constatar que, aos dezoito anos, eu nunca tinha pensado que precisava ganhar dinheiro. Em meu juízo de valor, eu só precisava estudar. Como minha autoconfiança pedagógica era altíssima, devido às minhas experiências anteriores, passei em todos os vestibulares que prestei, bem como acreditava que passaria em qualquer concurso público no qual me inscrevesse. Logo, trabalhar para ganhar algum dinheiro, até aquele momento, não estava nos meus planos. Mas algo avassalador mudou essa lógica em mim. Esse algo tem nome: Luciana. Uma linda menina sorridente de quinze anos, com brilho no olhar e uma extrema capacidade de me encorajar em minhas maluquices. Uma delas: poucos meses depois de que nos conhecermos, tivemos um desejo muito forte de nos casarmos. Não queria mais me despedir. Estava apaixonado e queria construir minha vida ao seu lado. Sobre o prazo? O mais rápido possível. Foi então que me dei conta de que faltava um pequeno detalhe: ganhar dinheiro.

Sempre gostei de relógios. O primeiro que ganhei foi um Casio digital. Ficava olhando para ele, segundo após segundo, e ficava impressionado com o seu funcionamento, além de aproveitar sua função de calculadora. Tinha dez anos e cursava a quinta série. Pegando um ônibus em Bangu, fui assaltado. Tomei um pescotapa e levaram o meu querido relógio. Aos dezoito, com a necessidade de ter dinheiro para pagar o sorvete e o cinema, vendi o relógio que usava para um amigo de minha sala de aulas. Com o dinheiro, comprei outro que também vendi. Ganhei a confiança do fornecedor e, além de ter comprado mais um para mim, peguei outro relógio em consignação. Vendi os dois. Quando me dei conta, tinha um caderninho de clientes e encomendas que atendia, aumentando minhas vendas. Muitos cinemas e sorvetes foram pagos com o que ganhava com essa minha nova atividade. Foi quando iniciei minha carreira internacional. Foram duas viagens ao Paraguai, nas quais tinha acesso a mercadorias com preços mais atrativos e que me proporcionaram melhores margens. Mas eu nunca considerei que vender relógios fosse o que eu planejava fazer em meu futuro.

Era uma tarde de domingo e, como de costume, eu estava na casa da Luciana. Depois do almoço, vi um jornal de domingo em cima da mesa, em frente ao sofá. Naquela época, um de meus canais de vendas era o caderno de classificados do jornal. Não existia internet e o caderno dos classificados era uma versão impressa do Mercado Livre, que tínhamos disponível na década de 90. Para minha surpresa, ao folhear o jornal, percebi a existência de uma área de empregos. Fiquei curioso e comecei a ler os diversos anúncios, que ofereciam vagas nas mais diversas áreas de atuação. Um deles me chamou atenção. Não exigia experiência anterior e tampouco exigia curso superior. O design do anúncio era atrativo e me transmitia a ideia de ser algo importante, mesmo sem dar detalhes sobre a vaga oferecida. Então, pensei: "minha faculdade vai começar em agosto. Até lá, ainda tenho cinco meses. Talvez fosse uma boa ideia fazer um bico até as aulas começarem." Também pensei que, na pior das hipóteses, mesmo que não fosse selecionado e contratado, somente de ter tido a experiência de participar de um processo seletivo já seria de grande valia. Recortei o anúncio e levei para casa a fim de me preparar para comparecer no centro do Rio de Janeiro, no dia seguinte, para participar do processo seletivo.

Ao chegar em casa, pedi uma gravata emprestada ao meu pai – o anúncio exigia gravata para participar da entrevista. Por isso, resolvi sair bem cedo, para não correr o risco de meus amigos me verem de gravata. Afinal, era a primeira vez que vestia esse acessório estranho. Para chegar às oito da manhã, saí de casa às quinze para as seis. Ao chegar ao local da entrevista, fiquei surpreso, porque havia uma fila que dava uma volta na esquina. Tive vontade de ir embora, mas depois de cruzar a cidade por duas horas e quinze minutos, decidi encará-la. Na fila, conheci algumas pessoas. Todas elas tinham muita experiência profissional e já tinham participado de muitas entrevistas, diferentemente de mim. O papo era estranho, desconfiado e bem ressentido. Não entendia muito bem o contexto daquela falta de esperança, mas segui com minha inocência, em busca de minha primeira experiência. Essa era minha única expectativa.

Enfim, chegou a minha vez. Éramos um grupo de oito pessoas na sala. A gerente, uma loira por volta de vinte e cinco anos de idade e um metro e oitenta de altura, fazia perguntas de forma muito enfática. Eu observava tudo naquele mundo que ainda não conhecia. Tudo era diferente: as roupas, o vocabulário usado e a frieza com que a gerente dispensava os que não estavam no perfil que ela buscava. Percebi que minhas quatro horas de espera poderiam se transformar em uma experiência de apenas quatro minutos, antes de ser mais um a ser dispensado. Na minha vez, ela fez a seguinte pergunta:

"Por que você quer ser um executivo?"

Eu dei uma das respostas mais estúpidas que um candidato a uma vaga de emprego pode dar. Respondi assim:

"Na verdade, nunca pensei nisso. Minha intenção é apenas trabalhar por cinco meses antes de começar minha faculdade, em agosto deste ano." Ou seja, eu estava em busca de um bico.

Não sei o que a fez me aprovar para a próxima etapa, que começaria no dia seguinte. Duas possibilidades: ou ela achou minha resposta tão sincera e inocente que decidiu me dar uma chance ou ela me confundiu com o cara do lado, que me parecia muito bem preparado, mas que foi dispensado.

No dia seguinte, iniciei o processo, no qual cerca de quarenta pessoas participavam de forma coletiva. Era uma sequência de palestras que apresentavam a empresa e o trabalho a ser realizado, bem como fazia parte do treinamento de vendas que faríamos nos cursos. Eu só descobri no dia seguinte o curso de inglês e a função de vendedor para a qual eu estava me candidatando, quando a dinâmica coletiva começou. Dos quarenta participantes, depois de três dias de palestras e treinamentos, oito foram selecionados. Eu fui um deles.

Lembro como se fosse hoje. Aqueles três dias do processo seletivo foram transformadores em minha vida. Pessoalmente, não gosto muito dessas afirmações exageradas e muitas vezes usadas de forma leviana, mas, verdade seja dita: aquilo mexeu comigo de forma profunda, desafiou meus referenciais e me apresentou um novo mundo. Na realidade em que eu vivia, sentia-me muito autoconfiante e com a autoestima muito alta. Por conta de minha experiência de ter sido aprovado em um concurso tão difícil, eu me sentia o máximo, mas, ao ver a atuação da gerente, que conduzia as palestras do processo seletivo, eu me deparei mais uma vez com minhas limitações, pois fiquei impressionado com a forma como ela falava, com sua segurança e com a maneira que ela dominava uma plateia de pessoas impacientes, ansiosas e, muitas delas, descontentes com a vida, pois estavam desempregadas e tensas com o processo. Seu vocabulário e a maneira como transmitia segurança mostravam para mim que eu ainda tinha muito a aprender. Além disso, fiquei muito impressionado com a técnica de vendas apresentada. Eu já vendia relógios apenas seguindo minha intuição, mas as técnicas apresentadas pareciam ser muito eficientes e inteligentes. Aquilo me fascinou e me conquistou.

No entanto, era um emprego muito engraçado: não tinha salário, não tinha nada. Ao contrário, tinha ainda que pegar umas moedinhas emprestadas da minha avó e torrar minhas reservas feitas com a venda de relógios para pagar a passagem de ônibus, alimentação e as fichas telefônicas – naquela época, para usar telefones públicos, usávamos fichas telefônicas, que eram uma espécie de moedas para poder fazer ligações. A empresa também não fornecia telefone em sua sede. Minha rotina diária se resumia a chegar às oito da manhã para uma reunião diária e, em seguida, sair para o aeroporto Santos Dumont, de onde trabalhava em um dos telefones públicos de lá.

Passava horas por dia ligando para potenciais clientes a fim de marcar uma entrevista para apresentar o programa do curso. Eu preferia trabalhar do aeroporto por algumas razões: era um ambiente climatizado e, de vez em quando, era interrompido pelos anúncios de voos, que deixavam meu contato com os clientes mais chique.

Eu não sabia, mas estava sendo treinado dentro de um ambiente empreendedor, sem garantias, e onde eu tinha que investir, embora não seja recomendado e esteja longe das práticas que adoto hoje em minhas empresas, que funcionam dentro das leis brasileiras, tenho grande orgulho por nunca ter tido uma carteira assinada, ganhado décimo terceiro e recebido FGTS. Isso me inseriu, mesmo sem eu saber, no ambiente empreendedor que, mais tarde, significaria mais uma forte mudança em minha vida.

Pela forma como fui impactado, comecei a rever todos os meus projetos futuros. Como a empresa oferecia um plano de carreira progressivo, de acordo com o cumprimento de metas bastante agressivas, bastava cumpri-las para que fosse promovido e tivesse acesso a ganhos muito acima da média do mercado. Era minha oportunidade para me tornar independente e me casar com a Luciana. De repente, percebi que poderia até mesmo antecipar meus planos, pois a ideia inicial era nos casarmos depois que eu me formasse. Depois do terceiro mês, já começava a planejar trancar a faculdade que começaria em agosto. O curso de Ciência da Computação na Universidade Federal Fluminense podia esperar. Eu queria colocar todo o meu foco para cumprir todas as novas metas. E deu certo. Em apenas quatro anos nessa empresa, cheguei a um cargo de diretor e passei a alcançar ganhos que chegaram, no último ano, a uma média de sete mil dólares por mês. Um ganho mensal que, naquela época, eu precisaria de pelo menos uns doze anos de carreira para alcançar, depois de me formar, se tudo desse certo.

Aos vinte anos, realizei um grande sonho: casei com a Luciana, que, na época, tinha dezessete. Nosso melhor presente de casamento foi uma televisão de quatorze polegadas usada, e a minha mudança inteira coube numa Kombi. Luciana pintou com suas próprias mãos o nosso apartamento alugado, arrumou as flores da cerimônia e passamos a primeira noite num motel pago com o dinheiro da gravata picotada e vendida na festa, que serviu coxinha e tubaína. A lua de mel foi em Xerém. O mais caro dessa viagem foi consertar a junta homocinética do Passat 84 que pegamos emprestado para a viagem e que quebrou logo no primeiro dia.

Na primeira noite na nova casa, teve queima de fogos. Na verdade... teve tiroteio mesmo. Quarenta minutos intensos. Era apenas mais uma disputa do tráfico, que acontecia quase todos os dias na Zona Oeste do Rio de Janeiro. Armas de todos os calibres cantaram perto da meia-noite. Eu e Luciana, deitados no chão de casa para nos protegermos das balas perdidas, olhávamos um para a cara do outro e literalmente ríamos de nossa própria desgraça. Era a primeira noite em nossa casa quase sem móveis, ao lado da mulher com quem passaria dias incríveis de minha vida. O tiroteio era apenas um pequeno detalhe. Eu estava sonhando acordado.

PONTO DE INFLEXÃO

Uma das perguntas que respondo com frequência aos jornalistas com quem converso é: "Você sempre sonhou em ser empresário?" A resposta é um sonoro "não". Desculpe se eu acabei de desapontá-lo. Como você pôde ler neste capítulo, meus planos eram completamente diferentes. Mas uma sequência de escolhas, umas conscientes e outras nem tanto, me levaram à minha primeira empresa. Vejamos:

Eu me apaixonei pela Luciana e precisava pagar o cinema e o sorvete. Quais eram minhas alternativas?

1. Pedir dinheiro para o meu pai, que estava desapontado com a minha expulsão;
2. Pedir para ela pagar a conta, embora ela também não tivesse dinheiro;
3. Não sair de casa;
4. Romper a inércia e produzir meu dinheiro, vendendo um produto.

Escolhi a quarta alternativa, que alimentou ainda mais a minha confiança em uma nova habilidade: vendas. Ao atingir alguns resultados em pouco tempo, me perguntei algumas vezes: "Como alguém passa o dia inteiro trabalhando numa empresa para ganhar um salário cheio de descontos no final do mês, se eu ganho mais do que isso apenas vendendo relógios?". Eu não sabia, mas o mosquito do empreendedorismo já tinha me picado. Qualquer uma das outras alternativas me desviariam dessa experiência, o que me levou ao próximo passo: trabalhar como vendedor numa escola de inglês.

No episódio do (sub)emprego no curso de inglês, fiquei diante de algumas alternativas:

1. Voltar para casa ao ver a fila cruzando a esquina;
2. Ir embora da fila ao escutar as lamúrias dos colegas frustrados em suas experiências;
3. Não comparecer durante a semana de processo seletivo, porque gastaria minhas reservas financeiras para me transportar e me alimentar;
4. Não aceitar o trabalho quando descobrisse que não teria carteira assinada e tampouco qualquer ajuda de custos;
5. Ceder à pressão de parentes para largar esse bico que eles alegavam me explorar;
6. Sucumbir às dificuldades do dia a dia do trabalho em telefones públicos;
7. Desanimar com a quantidade de "nãos" que levava todos os dias;
8. Não aguentar dormir pouco e gastar horas viajando em pé todos os dias no transporte público;
9. Achar que não valia a pena tanto esforço ao receber minhas comissões defasadas com a inflação de oitenta e seis por cento ao mês;
10. Dobrar a aposta e largar a faculdade federal, acreditando nesse projeto, a fim de me casar com a Luciana.

Ao tomar essa decisão, eu estava determinando um dos maiores Pontos de Inflexão da minha vida, porque nascia ali um futuro empresário. Foi exatamente nesse momento que, ainda sem saber, estava sendo formado todo o alicerce que serviria para o nascimento da WiseUp. Mas isso vai aparecer mais para frente.

3

EU NÃO VOU CONTRATAR VOCÊ

No capítulo anterior, ficou clara a quantidade de ambi- **63**
guidades com as quais tive que lidar em todas as escolhas
que tinha. Como mencionei, não foi fácil conviver com
a opinião de amigos e parentes que consideravam o meu
trabalho de vender curso de inglês, nas condições propostas, abominável. De certa forma, compreendo muito bem
que, de fato, do ponto de vista trabalhista, era um show
de horrores, porém, como não estava contaminado com
esses paradigmas, o que mais valorizava era o fato de a
proposta me agradar, estar aprendendo e me desenvol-
vendo e, principalmente, por me sentir atraído pela ideia
de ascensão dentro da empresa, dependendo apenas de
cumprir as metas propostas, que me pareciam factíveis,
obviamente, com muito esforço.

Nos primeiros seis meses, tive muito sucesso e fui promovido três vezes. Melhorei meus ganhos, não trabalhava
mais em telefones públicos. No entanto, no final de 1991,
entrei numa fase ruim, até então um fato inédito naqueles

breves oito meses de experiência na área de vendas. Sem razões aparentes – sempre acontece assim – depois de uma sequência de visitas sem resultados, bem abaixo de minha estatística de aproveitamento, veio a pergunta sorrateira em minha mente, dessas que costumam gastar nossa energia produtiva: "o que está acontecendo?".

Nem sempre saberemos porque performamos menos em alguns momentos, pelo menos não de forma racional. O melhor a fazer é olhar para a frente. Porém, a ausência de explicações e a busca por elas consome muita energia e produz ansiedade. Uma vez ansioso, a performance tende a ser ainda menor. Assim, instala-se uma crise, sem começo e sem fim, um ciclo vicioso que consome a autoconfiança e produz incertezas.

Ao terminar uma semana difícil, encontrei a Luciana no fim de semana. De Copacabana, onde trabalhava, seguimos para um churrasco na casa de um tio, que ficava lá dentro de Jacarepaguá. Não tinha carro e tampouco existia Uber. Na verdade, a internet como conhecemos hoje nem sonhava em nascer. Para chegar lá, precisava pegar um ônibus para a Barra da Tijuca, outro para Taquara e mais um para a casa de meu tio. Para resumir, a viagem foi um desastre. Levamos quatro horas e tivemos muitas emoções durante o trajeto. De pancadaria por baderneiros a filas intermináveis para pegarmos os ônibus. Tudo isso, aos 40 graus de temperatura do Rio de Janeiro. Ao chegarmos, cansados e estressados, a carne do churrasco que sobrara era apenas o resto estorricado em meio ao que sobrou do carvão que, àquela altura, eram somente cinzas. Todos os amigos brincavam na piscina e eu dizia a mim mesmo: não quero andar de ônibus nunca mais. Há momentos na vida em que, mais importante do que saber o que se quer, é saber o que não se quer. Isso estava decidido. Jamais entraria em um ônibus novamente.

Fragilizado pela experiência, somada ao mau momento que vivia em meus resultados profissionais, dessa vez dei ouvidos ao meu tio, que nunca se mostrou favorável ao trabalho que eu realizava. Ele, como executivo de uma grande multinacional de alimentos, idealizava uma carreira diferente para mim. Com carteira assinada, vale--transporte e refeição, carro popular da empresa e uma carreira convencional dentro de uma rotina corporativa. Pela primeira vez, através da porta aberta de minha frustração momentânea, considerei sair do caminho em que estava para trabalhar dentro de um modelo convencional. Tinha sido fisgado. Meu tio, assim, com as melhores intenções, me encaminhou ao processo seletivo dessa multinacional.

Depois de provas de português, matemática e conhecimentos gerais – nas quais obtive as melhores médias até aquele momento –, psicotécnico e duas entrevistas, meu tio me disse que gerentes de diferentes departamentos desejavam me contratar. Segundo ele, estava tudo certo. Com essa informação, procurei o meu diretor para conversar e o informei que estava de saída e que o mês de dezembro de 1991 seria o meu aviso prévio. A partir daquele dia, ele tentou me convencer do contrário. Até marcou uma ligação telefônica com o Mário Magalhães, então presidente da empresa, para me dissuadir da ideia de trabalhar numa multinacional, seguindo uma carreira convencional. Nada funcionou. Eu estava convicto e eles começaram a se conformar com a ideia. Garanti a eles que trabalharia todo o mês de dezembro, cobrindo as férias de meu diretor direto. Eu estava muito decidido e confiante de começar o novo ano num novo projeto.

A semana seguinte chegou e meu tio me ligou dizendo que havia um fato novo. O gerente geral da filial do Rio de Janeiro da multinacional em que eu iria trabalhar havia chegado de férias e, antes de efetivarem minha contratação, ele queria conhecer quem era aquele garoto que os gerentes estavam a fim de contratar e de quem falavam muito bem. Meu tio, então, me disse que eu não me preocupasse. Estava tudo certo e era apenas uma questão pró-forma aquela entrevista. Avisei a meu diretor que me ausentaria na parte da tarde daquela terça-feira para finalizar o meu processo de contratação. Levei todos os meus documentos para entregar na empresa.

Pontualmente no horário marcado, a secretária me conduziu até a sala do sr. Adilson. Ele não esboçava nenhum sorriso ou simpatia, o que combinava com sua sala cinza e desarrumada. Mas ele era o topo da cadeia alimentar da área comercial da maior multinacional do mundo em seu setor. Na realidade, minha sala era maior, mais bonita e iluminada do que a dele. Nada daquilo importava. A realidade é que um executivo de uma grande multinacional, com sessenta anos de idade, estava entrevistando um garoto de dezenove, que estava apenas começando sua vida.

O bigode dele cobria parte da boca. Seus olhos eram rodeados de rugas que não demonstravam qualquer esboço de felicidade por estar de volta ao trabalho depois de suas férias. Ele foi direto ao assunto: "Por que você quer trabalhar aqui?", perguntou, enquanto lia meu currículo, sem sequer olhar para mim. Eu, apesar da pouca idade, já participava de processos de recrutamento e seleção, só que do outro lado, contratando vendedores para o curso de inglês. Sabia o que gostava de ouvir de meus candidatos e o que eu não gostava. Então, usei todo meu repertório, além do brilho no olhar, disposição para trabalhar, ambição para crescer e toda minha eloquência para comunicar com habilidade o porquê de eu ser uma excelente contratação.

Do meio em diante de meu discurso, ele parou de olhar para meu currículo e ficou me observando. Foi direto: "Você é gerente em sua empresa com apenas dezenove anos. Por que quer ser promotor de vendas aqui? Você está regredindo."

Disse a ele sem hesitar: "Quero trabalhar numa multinacional, quero crescer, quero romper meus limites e, tudo isso, sem me importar com minha condição inicial. Acredito em meu trabalho e sei que vou crescer aqui.".

Ele interrompeu a entrevista para me dar uma surra de sinceridade. Disse: "Flávio, se você trabalhar aqui, o máximo que você vai chegar é exatamente nessa sala, em minha posição, daqui a trinta anos. E isso eu não te recomendo. Minha sugestão é que você continue em sua empresa, que não conheço, mas onde, pelo seu preparo e brilho no olhar, vejo que está fazendo um bom trabalho.".

Quando comecei a perceber o caminho para onde ele estava indo, eu o interrompi e coloquei força total em minha convicção, argumentação e recursos de comunicação de que dispunha. Disse a ele, olhando firmemente em seus olhos: "Senhor Adilson, deixe-me ser sincero: não me importa se vou lavar o chão, limpar o banheiro ou carregar caixas de produtos nos supermercados. Eu acredito em mim e estou disposto a fazer o que for necessário para crescer aqui dentro." Ele, percebendo que eu não tinha aceitado um "não" como resposta e que estava tentando reverter a situação, interrompeu abruptamente e disparou: "Flávio, quanto mais você fala, mais tenho convicção de que isso aqui é muito pequeno para você. Nós não vamos te contratar.". Ele estendeu a mão e se despediu de mim.

Saí da sala desolado. Meu projeto de ser funcionário de uma multinacional tinha ido por água abaixo. O que eu, naquele momento, ainda não sabia era que estava diante de um Ponto de Inflexão decisivo em minha vida, que tinha acabado de ocorrer por interferência de um gerente geral de uma multinacional, bigodudo e emburrado, que nunca mais veria. Ele impediu que eu tivesse, pela primeira vez, um emprego convencional e me desviasse daquele caminho do curso de inglês, que me levaria a abrir a primeira escola da WiseUp, quatro anos mais tarde.

A única coisa que passava pela minha cabeça naquele momento era o que eu iria fazer, já que, além de não entrar na multinacional, eu já estava cumprindo um aviso prévio na escola de inglês. Sabia que eles queriam que eu ficasse, mas dizer que tinha dado tudo errado na multinacional não era uma boa tática. No fim, enquanto cobri as férias de meu diretor, aproveitei essa oportunidade para produzir o melhor resultado do ano, mesmo entre feriados natalinos. Ao regressar e constatar o resultado, ele partiu para cima novamente para tentar me convencer a permanecer. Então, daquela vez, ele "conseguiu"...

Ao saber que eu tinha aceitado ficar na empresa, o presidente, Mário Magalhães, que morava em Porto Alegre, me convidou para uma reunião com ele, para ficar hospedado em sua casa. Aquela foi a primeira vez, prestes a completar vinte anos de idade, que eu peguei um avião.

Chegando em Porto Alegre, ele foi me buscar no aeroporto com um carro que me impressionou. Era um Saturno, um modelo esportivo importado – coisa raríssima no Brasil naquela época. Aos trinta e dois anos, Mário era uma grande inspiração para a empresa. Seu sucesso e competência em vendas serviam de referencial para todos. Ao chegar em sua casa, uma mansão com uma vista linda da cidade de Porto Alegre, tive a impressão de estar visitando uma daquelas casas de Los Angeles que costumava ver em filmes. No entanto, os dois dias que passei com o Mário serviram, para além de conhecer um mundo que não conhecia, nos aproximarmos, e para ele me consolidar dentro de seu projeto. Mário, a partir daquele momento, percebeu o meu potencial e passou a me observar mais de perto. Assim começava o ano de 1992, o ano em que me casei com a Luciana.

O mais interessante é que, de uma situação em que me encontrava extremamente desmotivado e me desligando da empresa, tudo se reverteu numa nova oportunidade, com mais prestígio e gás para começar um novo ano. Isso mostra que não devemos tomar decisões em meio ao caos e no impulso. Naquele caso, tive uma chance dada pelo sr. Adilson, que não permitiu que eu fizesse uma grande cagada em minha vida: me tornar funcionário, cheio de direitos, de uma multinacional.

PONTO DE INFLEXÃO

Dessa vez, eu não tenho duas ou três hipóteses de decisões que eu poderia ter tomado como direção. Nesse trecho de minha história, uma vez que não tive mérito algum na decisão desse Ponto de Inflexão, tudo foi cem por cento mérito do sr. Adilson, que me livrou do caminho convencional. Até hoje, nunca conversei com ele novamente (vou providenciar este encontro). Já fiquei sabendo, através de meu tio, que ele não se lembra de tantos detalhes dessa história. Acontece, já que ele cuidava de milhares de coisas em seu dia a dia como gerente-geral.

Por muitas vezes pensei no que teria levado o sr. Adilson a melar o meu projeto de CLT. Seria muito conveniente eu me convencer de que eu era bom demais para aquele trabalho, mas, sinceramente, não penso que o mérito seja meu. Um dia vou perguntar a ele sobre isso, mas me atrevo cogitar, que naquele momento, que o sr. Adilson, do alto de seus sessenta anos, enxergou em mim uma versão do Adilson de dezenove anos, cheio de sonhos, que foram sepultados dentro de uma corporação burocrática e cheia de limitações. Acho que ele pode ter pensado: "não vou deixar esse moleque cometer os mesmos erros que eu". Talvez por isso eu tenha preservado um pouco do sr. Adilson dentro de mim, em todas as vezes que eu escrevo, seja num livro, nas redes sociais ou no aplicativo do *Geração de Valor*, a fim de encorajar que as pessoas lutem pelos seus projetos e jamais abram mão disso em troca de falsas seguranças e promessas que levam a salas cinzas, desarrumadas e sem iluminação, como a do sr. Adilson.

No entanto, na parte que me toca, digo que eu poderia voltar com o rabinho entre as pernas para meu antigo trabalho para pedir uma oportunidade de permanecer, mas, naquele caso, optei por trabalhar duro durante as férias de meu diretor. Usei aquilo como estratégia para receber novamente o convite para permanecer na empresa. Foi justamente o que aconteceu. Assim, reverti a situação e superei mais um desafio.

Para que você tenha uma ideia do impacto que teve este Ponto de Inflexão em minha vida, tanto o meu tio como o presidente da escola de inglês em que eu trabalhei vieram trabalhar comigo na WiseUp, anos depois, e continuam até hoje ao meu lado.

4

LARGUEI

7 MIL DÓLARES

POR MÊS

Tudo caminhava bem. Aliás, muito bem, obrigado. Depois de todo conflito interno que quase redundou em minha saída para trabalhar numa multinacional, engatei na nova fase como gerente júnior. Foi a fase em que, além de vender, aprendi a recrutar e a treinar novos vendedores. A experiência de liderar pessoas com bem mais idade do que eu e ouvir constantemente: "nossa, como você é novinho", sempre me lembrava de que não podia perder tempo e tinha ainda muito o que conquistar.

Assim que cheguei de minha lua de mel em Xerém, durante a última semana de 1992, comecei o ano de 1993 com muito gás. Agora, recém-casado, e ao lado de uma mulher como Luciana, renovei meus objetivos. Entrei naquele ano dizendo aos quatro ventos: "Vou arrebentar.". Minha decisão de produzir, crescer e ganhar dinheiro para me mudar para mais perto do trabalho, longe dos tiroteios que ouvimos em nossa primeira noite e que se tornaram parte da rotina, estava tomada. Ninguém me impediria. Como ganhava variável, de acordo com meus resultados, bastava produzir mais para ganhar mais. Com meus resultados, bem acima do ano anterior, em maio de 1993, fui promovido a diretor comercial, com plenos vinte e um anos, e recebi uma proposta para abrir uma escola da rede na Venezuela, na cidade de Valência, num projeto de me tornar sócio na expansão da empresa naquele país. Lembrando que, em 1993, Hugo Chávez estava preso e a Venezuela era um país fantástico, com uma economia estável, pleno emprego e com uma das maiores rendas *per capita* da América Latina. Enquanto o Brasil tinha inflação de mais de 80% ao mês e carros chamados de carroças, na Venezuela, a frota era a mesma dos Estados Unidos, qualquer pessoa tinha um celular e viajar para Miami custava duzentos dólares.

Pedi uma semana para conversar com a Luciana e avaliarmos juntos se encararíamos aquele desafio. A proposta parecia promissora, mas dependia de uma boa arrancada na primeira escola, num mercado, leis e cultura diferentes, além do idioma, é claro. Pelo menos, nesse quesito, eu estava bem tranquilo. Já sabia falar com fluência "buenos dias e buenas noches". Nada mais... mas para que falar espanhol se meu trabalho seria vender e treinar venezuelanos na área de vendas? Bem, isso eu deixei para resolver depois. Eu e Luciana resolvemos aceitar a proposta. O que determinou aceitarmos foi que chegamos à conclusão de que, se tudo desse errado, perderíamos tudo que tínhamos (quase nada), mas voltaríamos para o Brasil falando espanhol. E foi exatamente o que aconteceu...

Ao vendermos nossos pertences no Brasil, o que incluía uma linha telefônica – isso mesmo, linha telefônica era patrimônio na época em que as companhias telefônicas eram estatais – juntamos cerca de oito mil dólares.

Era tudo o que tínhamos. Ao chegar em Valência, encontramos uma casa comercial alugada, onde funcionaria a escola, e uma coordenadora de ensino contratada. O dono da empresa passou o primeiro mês com a gente em Valência e, em seguida, regressou ao Brasil. Eu fiquei encarregado por toda a operação e Luciana, que tinha completado dezoito anos ao chegarmos lá, era encarregada da parte administrativa e financeira, depois de três meses de treinamento no Brasil.

Para aprender o idioma, enquanto realizava o trabalho, tive que exercitar muito minha capacidade de fazer mímica quando me fugiam as palavras. Não tivemos grandes dificuldades, porém, vivenciamos outros desafios que não esperávamos.

No segundo mês de trabalho na Venezuela, depois de mais de cento e vinte alunos matriculados e de termos atingido o ponto de equilíbrio, sem que o Brasil jamais precisasse nos enviar dinheiro para aportar na operação, ao sair de casa num sábado, depois do almoço, não encontrei o meu carro na garagem. Um Fiat Uno zerado que tinha comprado com meus oito mil dólares. Sim, roubaram de dentro da garagem de meu condomínio, que mais parecia uma fortaleza, cheia de trancas e seguranças armados.

No dia seguinte, numa manhã de domingo, o gerente comercial, que dividia o apartamento com a gente, bateu na porta do meu quarto, demonstrando um certo nervosismo. Com a cara ainda amassada, abri a porta e disse: "Você deve ter um bom motivo para ter me acordado.". E tinha. Ele falou, ofegante: "Arrombaram a escola e roubaram tudo o que tinha dentro.". Peguei o carro e corri para a escola, junto com ele, para ver como estava a situação. Chegando lá, fiquei surpreso, porque nada tinha sido arrombado. Todas as portas foram abertas com chave; então, passamos a desconfiar dos funcionários. Todos os equipamentos foram roubados, mas o que me chamou mais atenção foi o fato de que os cento e vinte contratos de matrícula foram retirados da administração, levados para minha sala e picotados no chão. Em cima da minha mesa deixaram um bilhete: "*Ustedes no podrán con nosotros.*"

Ficava claro que alguém ou alguma empresa concorrente estava muito incomodado com nossa presença ali e que não era apenas um arrombamento ou um furto comum, mas sim, um atentado comercial e criminoso da concorrência, no intuito de nos assustar e nos expulsar de lá. Ao perceber que eles tinham todas as chaves para as portas, depois de roubarem nosso carro dentro do condomínio, deduzimos que poderiam ser as mesmas pessoas por trás dos roubos, então, por que não poderiam ter as chaves de nosso apartamento? Questionamos... olhamos para a cara um do outro, assustado. Imagine, eu com vinte e um e Luciana com dezoito, num país estranho... ainda me lembro, naquela noite, o quanto foi difícil voltar para casa. Para entrar em nosso apartamento, eu usava uma chave para entrar no condomínio, outra chave para entrar no prédio, outra chave para entrar no elevador, outra chave para poder apertar o botão do sétimo andar, outra chave para abrir a porta do andar, outra chave para abrir a grade da porta do apartamento e duas chaves para abrir a porta do apartamento. A cada tranca aberta, meu coração batia mais forte. Depois de entrar, percorremos cômodo por cômodo para ver se não tínhamos alguma visita indesejada. Depois de constatar que não havia ninguém, colocamos o sofá na frente da porta para dormirmos à noite.

Viver em outro país da América Latina, com alto índice de criminalidade, sem compreender muito bem a cultura e falar o idioma, foi um grande desafio. Acionamos o seguro do carro na semana seguinte, que nos enrolou e não pagou pelo roubo. Os meses subsequentes, sem carro, foram focados no trabalho que, em sete meses, resultou em mais de quatrocentos alunos matriculados na escola, que operou sem jamais precisar de um aporte sequer do Brasil e ainda foi lucrativa. Apesar do resultado, a empresa me requisitou para retornar ao Brasil para assumir uma direção regional composta pelo Rio de Janeiro, Salvador, Cuiabá e Ribeirão Preto. De volta ao Brasil, trouxe na bagagem uma valiosa experiência internacional e o principal: em sete meses, tinha iniciado uma empresa do zero, passando pelo ponto de equilíbrio até o lucro, sem aportes, e participando do processo em todos os departamentos, não apenas na área comercial. Eu tinha vinte e um anos de idade, e considero que a Venezuela representou o meu MBA em empreendedorismo e abriu janelas em minha mente que jamais foram fechadas. Daquela experiência em diante, nada foi como antes, e passei a perceber detalhes que antes passavam despercebidos. Além disso, conforme eu e Luciana prevíamos, o pior que poderia acontecer seria perdermos tudo e voltarmos da Venezuela falando espanhol. Pois é, todo nosso dinheiro foi embora com o carro, mas pelo menos voltamos falando espanhol.

Todo nosso aprendizado logo foi notado em meu regresso ao Brasil. Antes, meu foco estava concentrado cem por cento na área comercial. Em 1994, depois de retornar da Venezuela, além de meu foco na área comercial, comecei a observar como a operação funcionava no Brasil, ou melhor, como não funcionava. O número de alunos

PASSEI A PERCEBER DETALHES QUE ANTES PASSAVAM DESPERCEBIDOS.

matriculados era enorme, mas a retenção deles era baixíssima. Ao verificar os motivos, percebi que o produto deixava muito a desejar. Como sempre acreditei muito no futuro da empresa e transmitia essa ideia com entusiasmo, minhas equipes de trabalho apostavam todas as suas fichas no seu crescimento na empresa. A partir daquele momento, ao conhecer as deficiências graves do produto, senti-me no meio de um conflito ético com minha equipe. Fui conversar com os donos da empresa, que não demonstraram o desejo de investir para mudar o produto, pois acreditavam que não havia nada de errado. Em meio ao melhor ano de minha carreira, em 1994, realizando mais de seiscentas matrículas mensais, superprestigiado e ganhando uma média de mais de sete mil dólares por mês, tendo finalmente saído do bairro Jabour e mudado para Botafogo, a apenas oito minutos do trabalho, tudo estava, como eu já disse, perfeito em minha carreira. Mas eu estava inquieto e com peso na consciência, enfrentando a culpa de não estar sendo verdadeiro com minha equipe e com os alunos que matriculávamos.

Naquele que era o melhor momento financeiro de minha carreira, eu vivia o meu maior dilema. Ao mesmo tempo, se saísse, abriria mão de um alto ganho financeiro, tendo acabado de perder tudo que tinha juntado de dinheiro no carro roubado na Venezuela, além do fato de ter aluguel e despesas com prestações de móveis e carro que tinha acabado de adquirir ao regressar ao Brasil. Para abrir uma empresa, o que tinha recém-começado a considerar naquela altura, precisaria desenvolver uma metodologia de ensino, produzir e imprimir livros, contratar pelo menos vinte pessoas, alugar mais de quatrocentos metros quadrados de espaço em localização nobre e ainda ter o capital para investir na reforma e na formatação dessa empresa, além de capital de giro para operar os primeiros meses antes do ponto de equilíbrio. Em dinheiro de hoje, seriam necessários 400 mil reais para esse investimento. Em 1995, não tinha nem uma fração desse valor, mas não me sentia bem diante daquele impasse e isso roubava meu brilho para liderar com o nível de conexão e comprometimento que tinha com minha equipe.

Naquele momento, diferente dos outros em que estive diante de um Ponto de Inflexão, dessa vez, sabia que estava numa encruzilhada e que, a depender de minha decisão, minha vida poderia tomar rumos totalmente diferentes. Dentro de mim, sabia que a hora era aquela. Esperar não era uma opção, pois não conseguiria trabalhar acreditando numa mentira e, se não seguisse adiante, poderia perder a confiança do grupo que me seguia. O único detalhe a ser resolvido era levantar o capital para investir no projeto. Eu já sabia que não conseguiria todo capital. Não tinha recursos de família e tampouco dinheiro acumulado, porém, eu contava com um capital muito valioso: o capital intelectual. O meu *know-how* na área de vendas me daria a chance de vender bastante a ponto de poder usar o dinheiro captado dos clientes (taxa de matrícula) para injetar na operação. Ainda assim, precisaria de um investimento mínimo para uma reforma inicial e para desenvolver e imprimir os primeiros livros.

A solução que encontrei foi convidar um amigo para ser sócio de cinquenta por cento da primeira escola. Ele venderia o seu Voyage 86 para participar do negócio. Ele se mostrou muito empolgado com tudo e fazíamos reuniões semanais para conversar sobre os planos de crescimento. Em paralelo, o conteúdo ia sendo desenvolvido através de um coordenador de ensino previamente contratado para o projeto. Eu e Luciana – que ficava com

NAQUELE QUE ERA O MELHOR MOMENTO FINANCEIRO DE MINHA CARREIRA, EU VIVIA O MEU MAIOR DILEMA.

o desafio de equacionar o lado financeiro – estávamos decididos a não permanecer mais na empresa e não víamos outra alternativa a não ser seguir com o plano de ter nosso próprio negócio. Três meses se passaram enquanto organizávamos a saída, produzíamos o conteúdo, achávamos o local da escola e nos desvencilhávamos de prestações que pagávamos do carro e dos móveis. Afinal, sabíamos que precisaríamos investir tudo e mais um pouco no novo projeto.

Chegou a hora de sair. Apesar de todo o conflito que vivia, tinha uma enorme gratidão pela empresa e pela liderança do Mário Magalhães, com quem aprendi as primeiras lições de liderança comercial. Com recursos escassos, peguei um avião e fui até Porto Alegre para me despedir e agradecer pessoalmente pelos quatro anos de aprendizado. Quando marquei a reunião, ele já tinha percebido que não seria qualquer conversa. Ao chegar no escritório central da companhia, em bairro nobre da capital gaúcha, fui direto ao assunto. Disse que tinha chegado minha hora de seguir o meu próprio negócio. Ele me surpreendeu. Disse que outros já haviam tentado o mesmo, mas que eu era a única pessoa que ele acreditava que tinha tudo para ser bem sucedido. Agradeci, nos abraçamos e voltei para casa com muito a realizar e contas para pagar.

No dia seguinte, liguei para meu amigo do Voyage para dizer que estava consumado. Agora, precisaria do dinheiro para acelerar as coisas. Não consegui falar com ele e deixei recado com sua mãe, pedindo para que me retornasse. No dia seguinte, liguei novamente. Sem retorno, depois do quarto dia, percebi que havia algo errado. Ele tinha desistido. Ficou com medo de colocar seu carro usado em jogo, ele me deixou na mão. Na época não pensei assim, mas, de fato, foi sorte minha, pois teria que fazer sozinho. Mas como?

Eu e Luciana tínhamos uma conta no antigo Unibanco. Como éramos diretores da empresa, onde todos tinham contas na mesma agência – incentivados por nós – tínhamos, cada um, 5 mil reais de limite no cheque especial. A solução que achamos foi marcar uma reunião com a Alda, nossa gerente, para explicar nosso novo projeto e dizer a ela que daríamos ao Unibanco a oportunidade de ser o banco de nossa empresa e de todos os futuros funcionários. Ela adorou a ideia, pois já me conhecia e nem passou por sua cabeça que não daria certo (veja a importância da credibilidade). Para isso, era necessário ampliar o nosso limite pessoal de crédito para 10 mil reais cada um (total de 20 mil), com juros amigáveis de doze por cento ao mês.

Isso não era nem de perto o suficiente ou as condições ideais para se iniciar um negócio (não tente isso em casa), mas era o melhor que eu tinha à minha disposição, e foi com isso que iniciamos. Tive excelentes negociações com a empresa que imprimiu os livros e com o imóvel que aluguei, com 437 m² na esquina com a avenida Rio Branco. A forma de financiamento da impressão e a carência negociada viabilizaram um menor aporte inicial, porém, jogando para frente um fluxo maior de compromissos financeiros a serem saldados. Para isso, eu teria que vender, no mínimo, cem novas matrículas por mês. Se cumprisse essa meta, o paraíso me esperava. Se não cumprisse, não morreria e nem perderia um braço, apenas me endividaria pelo resto da vida. Como vender era minha especialidade, estava bastante tranquilo. Bastava trabalhar dezoito horas por dia, o que não era uma tarefa difícil para um jovem de vinte e três anos.

PONTO DE INFLEXÃO

Dessa vez, como já disse, foi o primeiro Ponto de Inflexão de minha vida em que sabia exatamente que estava diante dele. Sabia que, de acordo com minha decisão, para o bem ou para o mal, minha vida mudaria.

O que tornou aquele momento dramático foi o fato de gostar muito da empresa em que trabalhava. Além de laços afetivos e excelente relacionamento com todos, inclusive meus líderes, foi ali que me descobri, que conquistei a independência financeira de meus pais e que aprendi a pensar fora da caixa limitada da CLT. Diante desse drama, quais eram as minhas alternativas?

1. Continuar ganhando 7 mil dólares por mês aos vinte e três anos de idade, afinal, não era problema meu se a empresa tinha um produto ruim;
2. Ignorar o conflito ético em que me encontrava, diante da constatação da má qualidade do produto e o quanto isso comprometeria o futuro da companhia;
3. Esperar mais um ano para me capitalizar e prospectar um novo sócio para começar o projeto com mais tranquilidade;
4. Entender a importância do *timing* e colocar tudo em risco, partindo para abrir uma empresa sem o capital necessário, contando com as vendas futuras para bancar o capital de giro.

A alternativa escolhida você já sabe. Aquele era o momento em que eu estava no meu ápice profissional, de credibilidade com minha equipe e de performance. Ficar mais um ano para juntar dinheiro, em minha análise, representaria um risco muito maior, pelo fato de, nessa hipótese, deteriorar minha liderança por liderar sem convicção, não acreditando mais no produto e na empresa. Liderança de verdade não é praticada por atores ou empreendedores de palco, mas, sim, por quem tem uma atuação legítima, somente vivida por aqueles que estão no campo de batalha real e ao vivo do mundo dos negócios. Em meio a cadáveres espalhados pelo chão das mais de oitenta por cento de empresas que quebram antes de completar o seu quinto ano de existência, escolhi não esperar. Aquele era o momento. O *timing* perfeito para eu criar um novo Ponto de Inflexão. A falta de capital que me esperava seria um risco muito menor, que eu estava disposto a correr. Nos doze meses seguintes, foram mais de mil e cem matrículas realizadas e uma segunda filial aberta em São Paulo no nono mês de existência.

5

QUANDO QUASE QUEBREI

O início da empresa era uma verdadeira lua de mel. Todos apaixonados e alinhados, cientes de que estávamos construindo um grande negócio. Esse sentimento fazia parte de toda a equipe pedagógica, administrativa e comercial, desde o primeiro dia de trabalho.

O primeiro dia de trabalho foi no mês de março de 1995. A escola ainda estava em obras e a equipe de vendas se reuniu, sentada no chão e nas latas de tinta, no que seria nossa sala de reuniões depois da inauguração. Não víamos escombros: enxergávamos um lindo futuro. Nossos ouvidos não doíam com o som das marteladas que derrubavam paredes para executar o projeto das salas de aula e tampouco a poeira nos incomodava. Diariamente, era no meio da obra que nos reuníamos, antes de sairmos a campo em busca das primeiras matrículas.

Até o dia 3 de abril de 1995, dia da inauguração, foram setenta matrículas realizadas. Isso significa que setenta clientes pagaram a matrícula antes mesmo de a escola estar em funcionamento, e o meu celular pessoal era o contato que esses alunos tinham da escola. Uma grande demonstração de confiança, resultado da enorme credibilidade que cada membro da equipe tinha em mim e no projeto. Aquele dinheiro, oriundo das matrículas antecipadas, tinha endereço certo. Sem ele, não teríamos caixa para pagar os funcionários dali a trinta dias, e as despesas não eram pequenas para a nossa realidade. Além do aluguel da sala de 437 m^2 no centro do Rio de Janeiro, também pagávamos aluguel dos aparelhos de ar-condicionado, das linhas telefônicas (como eu disse, naquela época, antes das privatizações das empresas de telefonia, alugávamos linhas telefônicas). Além da folha de pagamento dos quase vinte funcionários da equipe.

O primeiro ano foi um enorme sucesso. Foram mais de mil matrículas realizadas e os alunos satisfeitos com o resultado do curso. Em seis meses de operação, com mais de quinhentos alunos na escola, além de não ter mais qualquer vestígio do limite estourado do cheque especial, experimentava uma cachoeira de fluxo de caixa recorrente entrando na conta da escola, o que impactou no meu padrão de vida de forma imediata.

Estava muito confiante e tudo corria bem. Em oito meses, decidi abrir a segunda escola da rede, dessa vez em São Paulo. O local escolhido foi a Avenida Paulista, um dos metros quadrados mais caros do mundo na ocasião. O desafio era alugar o imóvel, pois tinha apenas vinte e três anos de idade e não tinha fiador. No final de 1995, o aluguel, condomínio e IPTU de um andar somavam 16 mil reais por mês, ou 16 mil dólares ao câmbio da época, quando um dólar equivalia a um real. Muito dinheiro, mas não o suficiente para me assustar, já que, para dar certo, eu precisava apenas repetir o que tinha feito no Rio de Janeiro.

O que eu considerava ser muito difícil mesmo era alugar um imóvel. Eu já tinha recebido algumas dezenas de "nãos", alguns muito doloridos. Quando adorava o imóvel e criava a expectativa de fechar o negócio, a imobiliária me dizia que meus documentos não tinham sido aprovados. De fato, não era uma tarefa fácil que algum proprietário ou mesmo que as imobiliárias aprovassem um fiador do Rio de Janeiro, que tivesse um imóvel que valesse não mais do que quatro vezes o valor do aluguel. Um dia, eu caminhava pela Paulista juntamente com o Jerryson Carvalho, um companheiro das antigas que viria a ser o gerente comercial que assumiria essa primeira escola de São Paulo. Tínhamos acabado de receber um "não" em um imóvel de que tínhamos gostado muito. Eu estava mal-arrumado, porque havíamos saído apenas para pesquisar novos imóveis para entrarmos em contato. Quando passamos em frente ao prédio de número 967 na Avenida Paulista, um belo prédio, o Jerryson entrou para perguntar na portaria se havia algum andar disponível. O porteiro disse que sim e disse também que o representante do proprietário trabalhava no prédio e estava lá no momento. Quando o Jerryson me disse isso, vi uma oportunidade de conversarmos com alguém que representasse o proprietário, sem o intermédio das imobiliárias. Desarrumados mesmo – e isso era um fator muito importante, pois perceba que eu era um moleque de vinte e três anos e que precisava passar o mínimo de credibilidade – subimos para conversar com o Hélvio. Ele representava o proprietário de todo o prédio, que alugava os andares para boas e, geralmente, grandes empresas.

Foram muitos os obstáculos, mas conseguimos alugar o quarto andar do prédio. Tive de vender o modelo de negócios, mostrar a seriedade de nosso projeto, falar sobre nosso sucesso no Rio de Janeiro – imagine que não existiam sites na internet para verificação e pesquisa – ajustar o horário do curso, negociar a mudança do horário de funcionamento do prédio, que precisaria funcionar inclusive aos sábados, negociar o valor, carência etc. Saímos de lá com a chave do imóvel na mão, com o voto de confiança do Hélvio, que foi honrado até o último dia, depois de quatro anos, pagando os aluguéis rigorosamente em dia, até que nos mudamos para um prédio que compramos na Avenida Paulista.

Essa escola foi um enorme sucesso. Matriculamos mais de mil e quinhentos novos alunos no primeiro ano e mais de 2 mil no segundo ano. A geração de caixa dessa escola foi fenomenal, o que nos proporcionou expandir o negócio para outras cidades do Brasil.

Nos primeiros três anos, inauguramos vinte e quatro escolas, uma média de uma nova escola própria a cada quarenta e cinco dias. Aos vinte e seis anos, já contava com mais de mil funcionários e um faturamento de dezenas de milhões por ano.

Foi aí que, em 1999, decidimos reformatar os nossos processos. Percebemos que precisávamos desenvolver outros modelos de gestão para dar conta de toda aquela estrutura criada em pouquíssimo tempo. Contratamos uma consultoria de O&M (Organizações e Métodos) para nos ajudar no desenho desses processos e para nos ajudar a implantar um sistema de gestão que nos ajudasse a gerenciar melhor o que tínhamos em mãos.

Era um modelo vencedor, porém muito cru. A intuição estava presente em tudo, mas com muito poucos dados disponíveis. O princípio era muito bom, mas a embalagem precisava melhorar. Por isso, enxergando nossa limitação, investimos em aprender mais sobre como profissionalizar nossa estrutura.

Eu e Luciana decidimos que não abriríamos escolas em 1999. Era tempo de organizar a casa e consolidar o que já havíamos inaugurado. A maioria das escolas iam muito bem, outras performavam extraordinariamente bem e duas ou três precisavam de atenção e aportes mensais de capital. No geral, tínhamos uma operação positiva.

No entanto, quando paramos para organizar, e eu interrompi o meu ritmo mental para me conectar numa frequência um pouco mais administrativa, por conta de minha pouca maturidade eu me perdi um pouco. Trafegar por diferentes frequências mentais – entre a expansão, vendas e administrativo – exige maturidade, em especial quando saímos de uma escola inaugurada a cada quarenta e cinco dias para zero – lembre-se de que nenhuma escola seria inaugurada o ano inteiro, durante 1999. Em contato com as consultoras que foram contratadas, mergulhei em meu aprendizado, sugando muito delas e, ao mesmo tempo, implantando de imediato uma nova estrutura. Isso foi bom, mas rápido demais. Aumentei muito o meu custo fixo e, como estava mais distante das vendas naquele ano, a receita não acompanhou a tendência. Para completar, planejei uma nova estratégia comercial, saindo daquilo que dominava com resultados positivos para um modelo mais baseado em processos, e não gestão de pessoas, o que me consumia muito tempo e energia. Eu estava embriagado por um modelo mais corporativo, baseado em processos, e não na pancadaria do campo de batalha com que estava acostumado.

Para completar a receita do caos, como disse alguns parágrafos acima, compramos um prédio na avenida Paulista em 1999 e outro prédio na Barra da Tijuca, onde funcionaria nosso quartel-general. As duas aquisições exigiam um desembolso de cerca de 100 mil reais por mês, em valores da época. Em valores atuais, cerca de 350 mil por mês.

A nova estratégia comercial, em vez de performar trinta por cento a mais, como eu planejava, vendeu trinta por cento a menos. Já os custos decolaram, o que nos criou um rombo de caixa de 120 mil reais por mês na época e, em valores atuais, cerca de 400 mil reais. Nos primeiros meses, cobrimos com o cheque especial, nos meses seguintes, refinanciando os carros, até que, em questão de poucos meses, o rombo já somava mais de 2,5 milhões de reais, entre cheque especial e impostos.

O cenário era preocupante. Apesar das vinte e quatro escolas indo bem, tínhamos um fluxo de caixa negativo mensal, por conta de vários investimentos combinados com uma receita abaixo da expectativa. Alguma coisa tinha que ser feita e de forma imediata.

Numa determinada noite, Luciana, que estava grávida de nosso primeiro filho, estava no quarto com um monte de papéis espalhados sobre a cama. Foi a primeira vez que a vi preocupada. Aliás, a calma da Luciana sempre foi um ponto de equilíbrio para mim. Ela sempre tinha uma visão fora da caixa, que me transmitia equilíbrio para tomar decisões. Naquele dia, ela estava um pouco diferente. Ela me disse:

"Temos que pagar a folha amanhã, estamos com todas as contas estouradas e sem caixa."

Aquilo era muito sério, porque sempre tivemos, em nosso modelo de gestão, a folha de pagamento como algo sagrado. Por isso, nunca, até então, havíamos atrasado o pagamento de salários.

Quando ela me disse que tínhamos chegado ao nosso limite, eu sabia que uma solução numa direção bem diferente da que estávamos precisaria ser tomada. Algo radi-

TEMOS QUE PAGAR A FOLHA AMANHÃ, ESTAMOS COM TODAS AS CONTAS ESTOURADAS E SEM CAIXA.

cal e eficaz. Ainda assustado com aquela preocupação inédita dela, desci até a cozinha para pegar uma garrafa de água para nós. A noite era uma criança. Não raro virávamos noites juntos conversando e planejando os nossos próximos passos. Daquela vez, precisaríamos tirar um coelho da cartola para solucionar o problema de forma imediata e, em seguida, a longo prazo.

Ao descer, com a cabeça quente, encontrei, na escada, um visitante inusitado. Ele estava na parede, bem visível, e tomei um susto quando o vi. Um gafanhoto enorme, de aparência assustadora, mas inofensivo. Eu não me considero uma pessoa mística, mas tenho *insights*, às vezes, que são resultados da leitura de alguns significados. O gafanhoto, por exemplo, em muitas culturas simboliza a falta de prosperidade, por serem associados às pragas que destroem as lavouras. Eu estava vivendo um momento muito esquisito e nunca tinha visto um bicho daqueles na Barra da Tijuca, a poucos metros da praia. Eu fiquei intrigado com aquele encontro inusitado e chamei a Luciana. Contei a ela sobre o significado do gafanhoto e disse que aquele aparecimento não era casual e que iria tomar uma atitude simbólica, que marcaria o início da mudança radical daquela situação financeira em que nos encontrávamos.

Peguei uma sacola plástica e coloquei, com muito medo, o bichão dentro dela. Então contei a Luciana o meu plano: "Vou pisar na sacola e matar este gafanhoto. Este gesto simbólico vai marcar a nossa virada de jogo."

Luciana me olhava com os olhos arregalados, querendo entender o que estava acontecendo, mas, em seguida, me perguntou: "E o que vamos fazer depois, para resolver as coisas?".

Expliquei para ela que eu não sabia, mas que era muito importante que eu consumasse aquele ato. Eu dizia isso sem saber direito, porque não estava seguindo nenhuma receita mágica ou ritual. Era apenas algo de minha cabeça, mas sentia que eu precisava fazer aquilo.

A Luciana concordou e então parti para executar o plano. Peguei a sacola, fechei com um nó, fomos para fora da casa, e a coloquei no chão. Em 1999, não tínhamos smartphones para filmar cada coisa que fazemos e que achamos importante, mas tenho essa cena gravada em minha memória. Como a sacola era transparente, dava para ver os olhos esbugalhados do gafanhoto, como se estivesse pressentindo o seu fim. Eu olhei para o bichinho, fiquei com muita pena e disse: "Cara, eu faço cagada na empresa e agora eu vou matar o bichinho? Que culpa ele tem?".

Eu disse essas palavras com muita pena dele e estava propenso a recuar. Nessa hora, a Luciana segurou no meu braço, olhou nos meus olhos, do jeito que só ela sabe fazer e disse:

"Flávio, se você veio até aqui, você deve ir até o fim. Amanhã, será preciso firmeza para seguir em frente com nossas decisões."

Eu concordei e pisei na sacola. Ainda me lembro do barulho do corpo do gafanhoto estourando como uma barata. Foi o fim daquele bichinho inocente e o início do fim de nossos problemas financeiros. Não porque matei o bichinho. Não há nada de real nisso. É simbólico e explico a seguir.

Voltamos para o quarto e viramos a noite trabalhando num plano de ação para conseguir reverter o quadro. Montamos um modelo de fluxo de caixa detalhado, que simulava todas as variáveis de nosso modelo de negócios. Ao final, tínhamos um plano de ação que incluía todas as despesas que deveriam ser cortadas e a performance de vendas que precisaríamos ter nos meses seguintes para, com essa combinação, quitar toda a dívida que adquirimos em pouco tempo: os 2,5 milhões de reais que, em valores atuais, seriam uns 9 milhões.

Para resolver o pagamento de funcionários no dia seguinte, abrimos uma concorrência com três bancos para abrirmos as contas de nossas vinte e quatro escolas. Cada escola operava com três contas diferentes, ou seja, um total de setenta e duas contas diferentes com o banco que vencesse a concorrência. Fecharíamos o contrato com quem oferecesse as melhores taxas e crédito. Luciana organizou esse processo logo pela manhã e, depois do almoço, já tínhamos fechado com um dos bancos. O limite de cheque especial de cada conta aberta foi usado para pagar os funcionários.

Com relação à redução de despesas, o pacote incluía desmontar todo o plano da consultoria de processos que envolvia a contratação de alguns profissionais de áreas como RH, operações, TI, além da devolução do prédio do quartel-general, que eu havia comprado e anunciado para toda a empresa.

A primeira atitude era a demissão de quatro pessoas, logo depois do almoço do dia seguinte à nossa madrugada de planejamento. Confesso que foi muito difícil. Eu não tenho dificuldades de demitir alguém, mesmo não sendo agradável, mas aquelas pessoas eram especiais, estavam cem por cento motivadas com o trabalho que estávamos começando a realizar e, para piorar, eu gostava muito e acreditava no potencial delas.

Lembro-me bem de meu sentimento antes de entrar na reunião que já estava marcada desde a primeira hora da manhã. Ao longo do dia, já sabendo o que faria depois do almoço, passei várias vezes, no escritório, pelas pessoas que seriam mandadas embora. Elas tinham um olhar desarmado, sem imaginar o que estava prestes a acontecer. Meia hora antes, eu pensei:

"Eu faço cagada na empresa e eles têm que ser demitidos? Que culpa eles têm?".

Meu instinto era de recuar e, de repente, me dei conta de que o que estava sentindo era exatamente o que senti quando estava prestes a matar o gafanhoto. Eu me lembrei do olhar da Luciana segurando no meu braço e dizendo:

"Faça o que tem que fazer.".

Então, eu executei as quatro demissões com uma enorme dor no coração, mas aliviado, porque não recuei e fiz o que deveria ser feito. O mesmo foi replicado nas várias ações que planejamos, inclusive na devolução do prédio que compramos de uma construtora com a qual já havíamos feito outros negócios. Nesse caso, era uma questão de orgulho mesmo. Eu tinha pessoalmente esbravejado para todos os funcionários sobre nossa compra. Agora, eu tinha que dizer para todo mundo que estava devolvendo porque precisávamos equacionar o nosso fluxo de caixa. Tive que pisar nesse gafanhoto também. O gafanhoto do orgulho. Deu tão certo que a construtora nos isentou da multa contratual.

O custo total que essas quatro demissões representavam, em valores da época, era de 60 mil reais em salários, que, somados com encargos, significava cerca de 120 mil reais por mês, além do valor da prestação do prédio, que seria de cerca de 100 mil reais por mês. Só neste movimento, mais de 210 mil reais seriam economizados a cada mês, sem que alterássemos a performance da empresa, já que esses movimentos eram resultado da consultoria que estávamos realizando para implantar novos processos.

No embalo das reformulações que combinamos em nossa madrugada de reuniões pós-gafanhoto, no total, foram cerca de trinta demissões, um prédio devolvido, vários contratos renegociados e redução de custos de viagens, já que começamos a partir daquele momento a franquear as escolas próprias localizadas fora do eixo Rio-São Paulo. Além disso, é claro, foi feita a rescisão do contrato com a consultoria.

O somatório das reduções de custos ultrapassava os 450 mil reais mensais em valores de 1999. Essa era a primeira parte do plano, que foi executada já no primeiro mês.

A segunda parte consistia em aumentar os resultados de vendas. Para isso, eu teria que reassumir a área comercial, da qual tinha me afastado naquele ano. Sem perceber, eu estava me transformando num burocrata e me afastado de minha essência, a mesma que tinha feito com que eu crescesse até aquele momento. Numa reunião, meses antes, eu tinha dito para a equipe comercial que eu estava cansado daquele trabalho, que eu mudaria os "processos" e que produziríamos mais com gente mais qualificada. Um tiro no pé. Um devaneio praticado por muitos empresários que, depois de alcançarem um mísero sucesso, permitem que isso suba à cabeça e se dão ao luxo de ficarem "de saco cheio" de fazer a sua obrigação. Infelizmente, foi o que aconteceu comigo.

Eu convoquei toda minha equipe comercial para uma reunião. Veio gente das 24 escolas de todo o Brasil. Fui direto ao ponto. Abri o jogo e disse:

"Eu errei. Desprezei o que nos trouxe até aqui. Eu me dei ao luxo de ficar de saco cheio do que nos fez ter o sucesso que conquistamos. Eu me tornei um burocrata. Porém, decidi retomar de onde parei, resgatar a nossa essência e avançar como jamais avançamos. Vocês têm todo o direito de não acreditarem em mais nada do que eu falar para vocês ou podemos nos unir ainda mais a partir de agora para construir algo ainda maior. Quem está dentro?"

Foi uma hora de discurso que transmitiu mais ou menos o que escrevi acima. A adesão foi de 100%.

Em nossa planilha de simulação, eu precisava aumentar em 30% a produtividade das vendas. Isso, combinado com a redução das despesas, nos daria a resolução do problema de fluxo de caixa de imediato e o pagamento da dívida com os bancos e impostos, em pouco mais de um ano e meio, considerando os juros bem altos.

O fato é que dobramos os resultados das vendas em menos de seis meses. Finalizamos o ano de 2000 com tudo muito bem encaminhado financeiramente e com uma plataforma pronta para expandir através de franquias. Para coroar de êxito toda essa saga, no início de 2001 eu fiz uma transação de venda de algumas escolas próprias no Rio de Janeiro no valor de 3,5 milhões de dólares. Estava assim enterrado o estrago feito pelo gafanhoto da arrogância e por todos os erros que cometi quando estava me tornando um burocrata e me afastando da essência que tinha para liderar a empresa.

PONTO DE INFLEXÃO

Neste capítulo, vemos um Ponto de Inflexão decisivo na história da WiseUp. Até aquele momento, tínhamos experimentado um crescimento meteórico, mas, a partir do quarto ano, em 1999, eu me perdi. Aos vinte e sete anos, com uma autoconfiança enorme devida aos resultados colecionados, cometi um erro muito comum: a acomodação e a arrogância. Uma combinação explosiva que poderia ter custado muito caro para minha biografia.

O Ponto de Inflexão ocorreu justamente naquela noite em que vi a Luciana grávida de sete meses sentada na cama com um monte de papéis espalhados à sua volta e preocupada. O encontro com o visitante inusitado, o gafanhoto, o ritual intuitivo que fiz, o olhar da Luciana segurando o meu braço, seguido de uma madrugada inteira de planejamento. O dia seguinte dessa sequência de fatos foi a virada avassaladora de um fracasso retumbante para uma prosperidade multiplicada.

O que ficou de aprendizado para mim dessa experiência difícil, mas vitoriosa no final, é que, quando acertamos, as pessoas que estão ao nosso lado são beneficiadas com nossa vitória. Por outro lado, quando cometemos erros sérios em nosso caminho, os que estão ao nosso lado também pagarão o preço. Foi a primeira e única vez em vinte e três anos que vivi essa situação. Hoje, sinto-me mais preparado para medir melhor as decisões que tomo e suas consequências.

Outro aprendizado é que, para executar o plano de virada que eu e Luciana projetamos naquela noite, eu precisaria de muita coragem e humildade. Precisaria, além de tomar medidas duras, assumir os meus erros para minha equipe, reconhecer o meu desvio e recuar em decisões tomadas, desapegar-me de bens e status, bem como passar por tudo isso feliz e consciente de que estava dando dez passos para trás a fim de avançar milhares de passos a curto prazo.

E se eu não tivesse feito tudo isso? Talvez eu não estivesse aqui escrevendo este livro e não tivesse vivido muitas outras coisas que experimentei nos últimos anos. Em vez de ter pisado no gafanhoto, ele iria embora e traria com ele uma nuvem de gafanhotos que destruiriam a minha lavoura.

6

A SAGA DA GESTÃO À DISTÂNCIA

Costumo dizer que o mundo dos negócios é um constante **103** processo seletivo, um processo darwiniano de seleção natural. A cada etapa, você pode avançar dez casas ou retornar ao começo. Como não existem fórmulas prontas, os erros serão inevitáveis e sua capacidade de se levantar será testada a todo momento.

Em 2005, depois de completarmos nossos primeiros dez anos de existência e a marca das cem primeiras escolas da rede, realizamos três projetos estruturais muito importantes:

1. Implantamos um software ERP (*Enterprise resource planning*), ou seja, um software de gestão integrada que conecta todos os processos da empresa, de modo a possibilitar uma visão de todos os dados da companhia, que integraria todas as informações da rede em tempo real;
2. Fizemos um grande investimento na produção de um novo conteúdo para nosso material didático,

que seria composto por cinquenta e quatro episódios de uma série cinematográfica, o que representava, na ocasião, uma grande inovação no setor;
3. Construímos nossa sede em Curitiba, pensada e dimensionada para nossa operação e com potencial de escalarmos nossa expansão para até mil escolas.

Tudo corria muito bem e 2005 prometia ser um ano marcante de muito crescimento em nosso projeto. De fato, cresci muito nesse ano e ampliei de forma significativa minha visão estratégica. Estava muito confortável com meu time de executivos, que dava conta do recado e respondia muito bem à minha liderança.

Numa dessas reflexões estratégicas, concluí que aqueles primeiros dez anos de WiseUp tinham sido muito vitoriosos, mas eu estava diante de um novo Ponto de Inflexão no qual vários projetos simultâneos nos catapultariam a um novo patamar. 2005 foi o ano em que comecei a estudar um pouco mais o mercado financeiro e sobre como funcionava a geração de valor das companhias listadas no Ibovespa. Sabia que tinha em mãos um negócio com muito potencial de crescimento. Cem escolas espalhadas pelo Brasil era apenas o começo.

No entanto, uma coisa ficou martelando em minha cabeça: como posso maximizar o valor de nossa empresa? Naquele momento, eu começava a me distanciar da realização que sempre tinha ao distribuir dividendos. Eu começava a pensar no *equity*, ou seja, no valor de mercado da empresa, influenciado por minhas pesquisas e investimentos no mercado financeiro.

Além do óbvio, que era vender mais, expandir mais e ser mais eficiente ao aumentar nossa margem, cheguei à conclusão de que eu precisava provar ao mercado que a WiseUp tinha um valor que não era dependente de minha atuação direta. Ou seja, que a WiseUp não era um show de um homem só. Como fundador, idealizador e gestor, trabalhando quinze horas diárias por aqueles dez anos, concluí que eu precisava "passar de fase" e aprender a gerir a companhia com um outro formato. Num formato onde necessariamente eu não estivesse mais presente na rotina executiva e operacional do negócio. Um grande desafio, pois era possível enxergar a minha impressão digital e a da Luciana por todos os lados. Éramos muito atuantes e percebemos que para qualquer decisão, nada era feito sem o nosso aval, aprovação e até nossa participação direta. Não poderia ter sido diferente, já que naqueles dez primeiros anos abrimos uma nova escola a cada trinta e seis dias, em média. Mas aquela era a hora de institucionalizar a WiseUp e de despersonalizá-la. A implantação do ERP e a formatação de todos os processos estavam ocorrendo em boa hora e me auxiliariam na tarefa de me distanciar.

Para executar esse objetivo, entendemos que morar em outro país seria a mensagem ideal para nosso time, que passaria a comandar diretamente o dia a dia da companhia. Para nós, isso não seria nenhum sacrifício, já que Luciana sempre demonstrou gostar de novas aventuras, inclusive quando decidimos morar na Venezuela. Mas para onde iríamos agora?

O lugar escolhido para nossa viagem não poderia ser mais eloquente. Fomos morar em Sydney, Austrália. Um dos países mais distantes do Brasil. Ou seja, quando alguém perguntasse: "Onde vocês vão morar?", eu responderia: "Pertinho. Na Austrália!" Lá, passaríamos a estar a treze horas de diferença em relação ao Brasil. Com cada integrante da família tendo direito a uma mala, partimos todos para Sydney. Éramos eu (33), Luciana (30), Brenno (5), Bernardo (3) e a Genilda, uma assistente que já trabalhava com a Luciana há dois anos.

Nossa viagem para Austrália tinha três objetivos muito claros para os próximos doze meses:

1. **Implementar uma gestão à distância na WiseUp** Como já mencionei, uma empresa que é dependente de seu fundador está em sérios apuros. Em qualquer processo de abertura de capital ou de diligências para entrada de uma instituição financeira no capital da WiseUp rapidamente se detectaria o risco de uma empresa que não tem uma cultura suficientemente forte e que perderia performance sem a presença de seu fundador. Implantar um novo modelo de gestão à distância poderia representar centenas de milhões em valor a mais ou a menos;

2. **Aprender inglês** Até aquele momento, eu não sabia mesmo falar inglês. Quando desenvolvi o produto, trabalhei na concepção mercadológica baseado em minha experiência de campo vendendo milhares de cursos de inglês por ano. A minha visão de mercado e ter conseguido formatar o modelo de negócios não me exigiram que eu fosse professor de inglês, mas, por outro lado, para manter sempre nossa metodologia de ponta, sempre privilegiei o orçamento de P&D (Pesquisa e Desenvolvimento) a fim de estarmos sempre muito à frente do mercado. Porém,

UMA EMPRESA QUE É DEPENDENTE DE SEU FUNDADOR ESTÁ EM SÉRIOS APUROS.

cheguei à conclusão de que eu deveria investir tempo e esforço em me tornar fluente em inglês. Afinal, para todos os planos que eu tinha para o futuro – e olha que Orlando City nem passava pela cabeça –, dominar o idioma seria fundamental.

Em Sydney, contratei um professor particular, um ex-executivo em transição de uma grande empresa de segurança na Austrália. Fazíamos dez horas de aulas por semana. Além disso, eu me matriculei em um MBA, onde convenci (mesmo ainda falando inglês muito mal) o reitor da universidade que me deixasse participar das aulas do MBA, mesmo sem interesse no diploma, já que era proprietário de uma empresa com mais de 3 mil funcionários, sem graduação. Minha intenção era tornar o meu aprendizado da língua o mais prático possível, quando eu também tinha o professor particular que me ajudaria nas tarefas do MBA, como preparar e treinar para apresentações e me ajudar a compreender cada novo vocabulário. Parecia perfeito e funcionou muito bem até eu me cansar do MBA. Estava cansado, depois de três meses, de ficar esquentando minha cabeça para resolver problemas imaginários, quando já resolvia problemas reais. A interação com os alunos, mesmo todos sendo muito inteligentes, era muito descolada da realidade e apresentava hipóteses delirantes, rejeitando soluções fora da caixa. Chutei tudo para cima na faculdade – de novo – para me dedicar cem por cento às aulas particulares que progrediam a olhos vistos.

3. **Aproximação da família** O fuso, apesar de me impor desafios que faziam com que eu trocasse as noites pelos dias, em muitas ocasiões tinha um fator muito positivo. A parte da tarde na Austrália

era madrugada no Brasil. Eu trabalhava de manhã com uma agenda de reuniões por videoconferência, que fazia parte de meu projeto de gestão à distância. Além disso, também tinha uma agenda na parte da noite, manhã no Brasil. Aparentemente uma loucura, mas o que gostei muito foi de ter a tarde necessariamente livre e sem culpas. Afinal, era madrugada no Brasil.

Pude me aproximar muito de meus dois meninos e ter um tempo de muita qualidade com eles. Passei a trabalhar de casa, o que faço há quatorze anos, como legado desse período. Eu tinha os meus dias repletos de reuniões, treinamentos e encontros com franqueados. Como eu reagiria a essa mudança brusca? E como franqueados e executivos continuariam em suas performances diante de tal mudança?

Tudo caminhou bem pelos primeiros sete meses, talvez pela inércia de tantos anos imprimindo um ritmo forte com a rede. Pouco a pouco, fui me acostumando com a rotina de reuniões por videoconferência e com viagens ao Brasil a cada dois meses. Era uma loucura, porque a viagem levava 27 horas e com treze horas de fuso de diferença entre os dois lugares. Então, procurava não mudar o fuso por completo, o que não levaria menos do que duas semanas para adaptação, mas organizava as reuniões e eventos dentro de meu relógio australiano. Dava oitenta por cento certo. Os outros vinte por cento eram às custas de ficar acordado nas madrugadas e de tirar uma soneca na parte da tarde. Mas isso não me atrapalhou muito e as viagens costumavam ser muito produtivas.

Os resultados operacionais, financeiros e de vendas me surpreenderam inicialmente, enquanto, do outro lado do mundo, meu inglês decolava com as minhas mais de dez horas semanais de aulas, mais o tanto que eu praticava em minhas atividades sociais. Até que, pela primeira vez, a performance deu sinais de enfraquecimento. Os diretores de vendas apresentavam dificuldades em relação ao mesmo período do ano anterior. Do lado da gestão, a implantação da nova metodologia e a criação de um novo centro de distribuição apresentavam inconsistências em seu planejamento. Chamei o diretor-executivo para uma reunião na Austrália. Queria olhar em seus olhos para dar as diretrizes para os ajustes necessários. Tudo na expectativa de poder cumprir um ano fora, como planejado.

Ele saiu de lá com as metas definidas, mas, no mês subsequente, não senti segurança em suas decisões e as inconsistências continuaram. Estava decidido, nossos doze meses de projetos acabavam de terminar, ao final do oitavo mês. Tivemos que ser realistas. A tão desejada gestão à distância não funcionou e permanecer os próximos quatro meses na Austrália só para cumprir tabela poderia custar muito caro. Voltamos para o Brasil, reassumimos o negócio e fechamos o ano com uma taxa de crescimento muito boa.

Minha conclusão foi que eu não estava maduro como achava para dar aquele passo, e tampouco minha equipe. Minha ausência serviu mesmo para perceber que o diretor executivo que ficara responsável pela gestão, um executivo do mercado supostamente bastante qualificado, não tinha bala na agulha para ocupar a posição a que se propunha com o seu alto salário. Ele foi demitido. Eu reassumi. Tive que reconhecer que minha equipe e eu ainda não estavámos prontos.

Em julho de 2006, voltava a Curitiba para ocupar a posição de CEO novamente. Voltei falando inglês bem melhor, tendo aproveitado bem a família e tendo percebido que precisava desenvolver melhor o meu time de executivos para estarmos todos preparados para o próximo nível. Ainda não tinha sido desta vez, mas, pelo menos, eu sabia por onde recomeçar, e o ano de 2007 seria muito importante para isso.

Entre 2007 e 2009, abrimos mais de cem escolas, ou seja, dobramos de tamanho, totalizando duzentas escolas na rede. O time de executivos estava bem mais consolidado. Eu, mesmo estando em Curitiba, mantive um comportamento como se estivesse na Austrália, não somente exigindo outras responsabilidades mais estratégicas dos executivos, como procurando manter minha perspectiva de visão da empresa como um *outsider*. Nada foi o mesmo depois da Austrália para mim. A experiência aparentemente não deu certo, mas, na verdade, deu certo dentro de mim, para minha visão e para a maneira pela qual passei a enxergar aquele negócio que eu mesmo havia criado. Na Austrália, eu estava fisicamente ausente, mas minha mente estava presente. Entre 2007 e 2009, eu estava pertinho de todos, porém, mantive-me do lado de fora da operação e nutrindo uma visão mais estratégica, ainda que com minha mente mais imersa do que nunca.

Em 2009, não me restavam dúvidas: estava pronto para sair novamente, mas, dessa vez, com o time e eu mais preparados. Agora, não precisava ir para tão longe para dar qualquer mensagem. Ao contrário, queria um local com fuso similar e que tivesse voo direto para São Paulo.

Cogitei morar em Buenos Aires, onde abrimos escolas, Santiago do Chile, um mercado interessante, ou nos Estados Unidos, onde moraria mais a longo prazo com a família, apesar de não ter qualquer plano de abrir escolas por lá. Aliás, longo prazo era um conceito desconhecido para mim, já que, durante os quatorze anos anteriores, a média de tempo morando na mesma residência, até então, não passava de dois anos. Para minha família tudo era provisório, desde a escola, cidade, casa, carros etc. A única coisa que permanecia eram os relacionamentos. Por isso, eu nunca medi distância por quilômetros. Sempre medi por reais ou dólares. Uma vez tendo capacidade econômica, eu poderia ir, levar ou trazer quem eu quisesse para onde quer que fosse necessário, para manter por perto os relacionamentos que para nós eram muito importantes.

Para contextualizar, o Brasil, em 2009, estava com tudo. Era uma das maiores promessas mundiais, enquanto os Estados Unidos viviam a pior crise da história. O dólar flutuava entre R$ 1,56 e R$ 1,80 naquele período, de maneira que tudo encontrava-se muito barato em Orlando. Essa é a beleza de não seguir a boiada. Enquanto um monte de brasileiros com seus sonhos americanos frustrados estavam de volta ao Brasil, eu me mudava com minha família para a "Terra do Tio Sam" com a moeda brasileira forte e imóveis e tudo mais em Orlando com preços deteriorados por uma crise sem precedentes.

No entanto, minhas razões eram muito claras. Não queria abrir negócios nos Estados Unidos. Meus objetivos, àquela altura, eram dois:

1. **A gestão à distância** Precisava retomar o projeto que atribuiria valor aos negócios que havia fundado, validando nosso modelo de negócios e institucionalizando nossa companhia;
2. **Segurança para família** Já em 2009, mesmo sem ter uma fração da expressão pública que tenho hoje, percebi que, em pouco tempo ficaria muito conhecido como empresário em todo o país

e, com dois filhos pequenos na época, não me sentia confortável com a segurança pública no Brasil. Ficaria bem mais tranquilo, se eu tivesse um refúgio em Orlando, dando mais segurança à família enquanto eu pudesse viajar livremente ao Brasil para empreender o nosso negócio. Claro, eu não tinha a menor ideia do quanto eu estava certo, não somente pela minha exposição, que realmente se tornaria ainda maior depois da expansão do *Geração de Valor* nas redes sociais, mas também pela segurança pública no Brasil, que se deterioraria bastante na década seguinte.

Entre 2006 e 2009, logo percebi que o time estava ajeitando. Estava maduro, nossos processos estavam bem organizados e eu, mesmo morando em Curitiba, já não estava presente como um fundador operacional. Eu já era um visitante em minha própria empresa. Isso tornou a minha mudança para Orlando no final de 2009 natural e sem traumas, sem que fosse necessário mudar muito a minha rotina. Tudo se refletiu no resultado de forma imediata. Isso me deu segurança para comprar uma casa em Orlando, planejar a mudança de uma maneira mais definitiva, estudar as melhores escolas para os meninos e até planejar um novo filho. Afinal, nossa mudança para Orlando, dessa vez, representava uma decisão de longo prazo.

O que eu não sabia é que o meu longo prazo duraria pouco mais de três anos. Esse foi o tempo para imprimirmos um crescimento sem paralelo em nossa história. Saltamos para quase quatrocentas escolas nesse período, dobramos mais uma vez, o que resultou na venda da WiseUp em fevereiro de 2013 para um grande grupo de educação brasileiro por quase 1 bilhão de reais.

Logo depois da venda, seguimos para Barcelona, onde moraríamos até seguirmos para Londres e, finalmente, nos fixarmos em Portugal por mais três anos, até que, em agosto de 2016, retornássemos aos Estados Unidos.

Ou seja, em 2013, saía dos Estados Unidos, tendo vendido a WiseUp e seguindo para um novo destino: Europa. Viajei para Barcelona sem qualquer empresa para chamar de minha e sem qualquer executivo para me ligar e me contar um problema. Na teoria, eu estava livre, leve e solto. Pronto para um período sabático. Três anos e meio depois – apenas três anos e meio – eu retornava para casa, em Orlando, tendo comprado um clube de futebol, construído um estádio, tendo fundado o meuSucesso.com, recomprado a WiseUp e lançado dois best-sellers.

Parece que o período sabático foi bem tranquilo...

PONTO DE INFLEXÃO

Institucionalizar a empresa, ou seja, despersonalizá-la, tirando a imagem de dependência de seu fundador, geraria valor. E gerou. A venda, nesse patamar, foi resultado desse conjunto: crescimento, resultados e institucionalização.

Todo projeto, que começou na Austrália e que se consolidou nos Estados Unidos, agora fazia mais sentido para muitos que se perguntavam o porquê de tantas mudanças num curto espaço de tempo.

E se eu tivesse desistido dessa tal gestão à distância, porque ela não foi bem sucedida na Austrália, quase nos gerando grandes prejuízos?

E se eu tivesse limitado as minhas fronteiras e não estivesse aberto para expandi-las para fora do Brasil, o que me tiraria de minha zona de conforto em Curitiba, em minha sala linda, dentro do prédio lindo que tínhamos acabado de construir?

Não é raro que empresários fiquem apegados a coisas minúsculas, valorizando pequenas conquistas, agarrando-se a elas, em vez de olharem para frente. Parece aquela senhorinha que coleciona potes de maionese ou o tiozão que faz coleção de revistas semanais e, depois de vinte anos, tem um enorme espaço dentro de casa só para guardar quinquilharias empoeiradas que não servem para mais nada.

Eu me pergunto quantos empresários perdem a oportunidade de valorizar o seu negócio de forma significativa porque ficam presos à necessidade de controle do negócio que fundaram. Limitados à necessidade de poder, somada ao comodismo dos dividendos, perdem a chance de jogar um novo jogo e fazer com que a sua equipe e toda companhia cresçam.

Logo, desapegar-se não significa desprezar o passado, mas valorizar o futuro, sempre na certeza de que o melhor ainda está por vir.

Definitivamente, apostar na institucionalização e desenvolver minhas habilidades para gerir uma grande empresa à distância com a mesma performance, como se eu estivesse presente, me proporcionou vários benefícios:

1. A venda da companhia por um valor relevante para um grande grupo;
2. Maior liberdade e qualidade de vida para organizar minha rotina perto de minha família;
3. Fortalecer uma visão de *outsider* e minha capacidade estratégica sem que me intoxicasse com a operação;
4. Maior oportunidade gerada para meus executivos, que ganharam mais espaço para atuar.

A saga da gestão à distância, que se iniciou em 2005 na Austrália e teve um final feliz em 2013 com a venda da companhia, angariou resultados mais rápidos e efetivos do que eu imaginava. Não posso negar que, além de lucrativa, toda essa aventura foi extremamente excitante para todos nós. Luciana e eu sempre tivemos a visão de que a vida é curta e, mais do que bens materiais, todas as experiências que colecionamos tiveram e ainda têm um valor incalculável. Mais do que isso, aprender a gerir uma empresa à distância nos proporcionou liberdade, o que valeria muito mais do que simplesmente entupir a nossa conta bancária. Porém, não posso negar, o mais interessante nisso tudo é que ter aprendido a gerir à distância, além de nos trazer muita liberdade, também deixou nossas contas bancárias bem gordinhas depois da transação de 2013.

Nunca gostei da frase "quem trabalha muito não tem tempo de ganhar dinheiro", mas, nesse caso, ela fez um pouco mais de sentido. Porém, eu faria uma correção: "quem trabalha ERRADO não tem tempo para ganhar dinheiro".

Não valemos pelo conhecimento que temos, mas sim pelo que somos capazes de produzir com o conhecimento que temos. Além disso, a cada aprendizado, podemos evoluir e produzir mais em menos tempo. Ou seja, se em 1995, as vinte e quatro horas de meu dia eram destinadas a cuidar de apenas uma escola, em 2013, quando vendi a empresa, nas mesmas 24 horas eu já cuidava de quase 400 escolas. O que mudou? Eu mudei, evoluí minha capacidade de liderança, e gerir à distância fez parte desse conjunto de novas habilidades que fizeram com que eu produzisse mais nas mesmas vinte e quatro horas.

Então, você pode imaginar o que penso sobre pessoas que dizem que não realizam isso ou aquilo por falta de tempo. Eu penso que elas ainda não aprenderam sobre o seu próprio potencial.

Uma dica: não use a justificativa da falta de tempo. Assuma que você não priorizou ou que não está a fim de fazer. Afinal, se falta de tempo fosse uma justificativa para você não tirar os seus projetos do papel, somente os desocupados teriam sucesso.

7

DISSE NÃO PARA 200 MILHÕES DE REAIS

Vamos voltar ao ano de 2008. O que ele tem de tão especial? Recapitulando, eu estava morando em Curitiba e com quase duzentas escolas na rede. O crescimento da companhia estava acelerado e o Brasil dava sinais de robustez em sua economia, atraindo investimentos internacionais.

Em um belo dia, recebi uma ligação inesperada. Carlos Wizard, fundador da rede Wizard, estava do outro lado da linha e pediu para falar comigo. Nós nos conhecíamos apenas de matérias de jornal e acompanhávamos de longe o crescimento de cada um, mas sem nenhum incidente entre as empresas, que eram as maiores concorrentes entre si no mercado.

Carlos, muito educado, me dá boa tarde e diz que gostaria de me visitar na semana seguinte para conversarmos sobre um projeto, que não quis adiantar por telefone. Ele já havia comprado umas três pequenas redes e isso me dava uma pista de nosso papo, mas aguardei até a semana seguinte para voltar a pensar no assunto e não desviar o meu foco da produtividade de nossas metas.

Na semana seguinte, Carlos estava me aguardando pontualmente na sala de reunião do quinto andar da sede da WiseUp em Curitiba. Assim que entrei na sala, ele se levantou e, sorrindo, disse que estava feliz em me conhecer e que me admirava há tempos. Retribuí a mesma gentileza e, depois de elogiar o prédio que tínhamos inaugurado há pouco tempo, o papo ficou reto e ele foi direto ao assunto. Ele disse com o tom bem calmo e didático, típico de um empresário que jamais deixou seu DNA de professor:

"Flávio, aqui nesta sala existe uma riqueza que não podemos ver, mas que está aqui. Ela se chama 'valor', *equity*'. É o que vale sua empresa. Como empresários, sempre buscamos margens maiores de lucro, mas, muitas vezes, ao entendermos o *equity*, podemos ter acesso a uma riqueza maior que nem sempre percebemos...".

Na minha cabeça eu pensava: "Que papo é esse? Estranho..." e balançava a cabeça, como se estivesse entendendo, e aguardava, curioso, para saber onde ele chegaria.

Então ele continuou:

"O que quero dizer com isso? Simples: eu posso te adiantar uns dez anos de ganhos, que podem representar centenas de milhões de reais em suas mãos que, aplicados no mercado financeiro, podem lhe gerar um lucro maior do que seu negócio lhe proporciona hoje, só que sem que você continue trabalhando doze horas por dia e assumindo todos os seus riscos. Não é interessante?"

Eu continuava balançando a cabeça, mas, sinceramente, não estava entendendo aquele papo muito bem, então perguntei:

"Sim, mas o que exatamente você quer me propor?", tentando tirar dele algo mais concreto.

Na verdade, ele estava me dando uma aula, que, na hora, não captei muito bem, mas foi o gatilho para que eu tivesse a compreensão profunda e prática de que precisava naquele momento, sobre o que era essa tal riqueza que estava no ar a que ele se referia: o *equity*. Eu já vinha estudando sobre isso desde 2005, quando iniciei um projeto de investimentos na Bolsa de Valores. No entanto, ainda tratava como algo muito intangível e distante de minha realidade. Naquele dia, fui surpreendido com o *equity* batendo à minha porta.

Por mais que eu continuasse tentando arrancar dele algo mais concreto, o papo não saiu do conceito. Ele me disse que, se eu tivesse interesse em continuar a conversa sobre essa riqueza e sobre a proposta de centenas de milhões de reais que ele me faria, eu deveria marcar uma reunião com o Charles, seu filho, para que ele formulasse uma proposta.

Disse a ele que estava disposto a continuar a conversa. Claro, depois disso, mergulhei em minhas pesquisas e em reuniões com contatos de meu relacionamento para aprender, agora de forma prática, mais sobre essa tal riqueza, o *equity*, e refletir se ali realmente existiria alguma oportunidade para o meu projeto. De repente, as ações que eu negociava não eram mais as da Bovespa, mas as ações de minha companhia que havia fundado com vinte mil reais de meu cheque especial. Era isso que estava acontecendo bem debaixo do meu nariz.

A reunião com o Charles foi marcada para três semanas depois, pois ele estava fora do país. Foi o tempo que precisava para fazer minha lição de casa. Na verdade, fiquei encantado com o que estava explorando. Tudo me parecia fascinante, ao me dar conta de que eu poderia ter acesso a uma enorme liquidez, fosse naquele momento ou num momento futuro que considerasse conveniente ou estratégico. Em outras palavras, existia um outro negócio dentro daquele mesmo negócio no qual eu já trabalhava há treze anos e que me parecia ser muito maior. Interessantíssimo!

Finalmente chegou o dia da reunião. Pontualmente, o Charles estava na sala de reunião do quinto andar, me aguardando. Ao chegar, vi um jovem de vinte e tantos anos que usava um linguajar diferente, técnico e cheio de termos em inglês para se referir a indicadores da empresa. Com ele, fui direto ao assunto: "Charles, vamos direto ao ponto? O que você quer?".

Foi a primeira vez que ele me chamou de Flavião e, até hoje, é assim que ele me chama. Ele disse:

"Flavião, temos um banco que está fechando uma sociedade com a minha família e teremos caixa para fazer uma oferta para você vender a WiseUp. A depender de seus resultados, posso te fazer um cheque de até 200 milhões de reais."

Bem, foi a primeira vez que eu o chamei de Charlão, do mesmo jeito que eu o chamo até hoje:

"Charlão, a WiseUp não está à venda." Fui curto e direto.

Charles já era uma águia e já dava indícios do grande investidor que se tornaria. Ele continuou o papo na maciota e me pediu para conhecer os nossos números. Apesar de ter sido categórico dizendo que a empresa não estava à venda, estava muito curioso para saber onde tudo aquilo ia parar. Então, como se diz na gíria da periferia carioca, eu estava só "dando linha naquela pipa" para saber "qual era a dele".

Assinamos um NDA (*Non-disclosure agreement*), que é um contrato de confidencialidade para ele conhecer nossos números e, com essas informações, ele disse que em uma semana me mandaria uma proposta concreta.

Nos despedimos e eu apaguei o assunto da cabeça, porque não queria perder o meu foco e prejudicar a produtividade na busca de nossas metas do ano.

Na semana seguinte, recebi o e-mail do Charles com uma proposta: 200 milhões de reais pela empresa, pagos à vista. Lembremos, o ano era 2008 e eu tinha trinta e seis anos de idade. 200 milhões à vista, com um CDI em torno de doze por cento ao ano, significaria que ganharia 24 milhões por ano, sem correr qualquer risco e sem qualquer esforço. Respondi a ele que lhe daria uma resposta em um mês e já deixei marcada a reunião com ele em São Paulo em um almoço.

Bem, esse foi um dos mais longos meses de minha vida. Não consegui mais separar os canais porque, só em abrir a possibilidade para analisar a proposta, eu já sairia da frequência mental necessária para produzir. Isto é bastante perigoso e muitos empresários derrapam na pista quando se deparam com uma situação dessas. É como se alguém cheio de planos recebesse a notícia de que tem uma doença e o médico dissesse que ele terá apenas um mês de vida. Imagine, nessa hipótese nada mais é tão urgente e a ordem de prioridades de quem recebe este tipo de sentença – diagnóstico – muda completamente.

Quando percebi isso, chamei meus principais executivos, abri a situação e, depois de recuperados, eles ficaram cem por cento focados na performance, e eu me ausentei da operação por esses trinta dias. Apenas acompanhava os resultados e dava orientações, sem grandes envolvimentos. Eu precisava me afastar, para não contaminar a operação com o turbilhão de ideias que passavam pela minha cabeça.

A questão era: vender ou não vender a empresa naquele momento?

Era a primeira vez que eu pensava no assunto, que ainda tinha muito tabu e mais apego do que imaginava. Foi um processo doloroso e tenso, pois eu queria ter a convicção absoluta de qual direção seguir e sabia que, se errasse, me arrependeria depois. Então, tinha um mês para pensar e não poderia errar.

Para ajudar, no meio desses trinta dias, aconteceu um fato para apimentar ainda mais aquele momento. Para vocês terem ideia do quanto aqueles 200 milhões representavam para mim (cerca de 125 milhões de dólares), o total de recursos líquidos acumulados em pessoa física que eu tinha naquele momento era de 15 milhões de reais (cerca de 9,8 milhões de dólares). Todo esse capital estava alocado em operações na Bolsa de Valores, onde gostava muito de trabalhar com derivativos cobertos com papéis de grande liquidez, em alguns casos alavancados a termo. Ignorem os termos técnicos. O que interessa nessa história é o seguinte:

Faltando uma semana para tomar a decisão final, se venderia ou não, tirei uma semana de férias com a família num resort em Porto de Galinhas. Aproveitaria para descansar e debater com a Luciana sobre nossa decisão final. Logo no segundo dia, estourou a crise de 2008 nos Estados Unidos, com o fechamento da Lehman Brothers. Eu estava alavancado cinco vezes mais, ou seja, qualquer lucro, ganharia cinco vezes mais, ou teria cinco vezes mais prejuízos, se nada desse certo. O cenário estava perfeito para ganhar mais de 2 milhões de dólares só naquele mês, com aquela posição. Mas, como sempre digo, ESTABILIDADE NÃO EXISTE: perdi oitenta por cento de tudo que havia acumulado até aquele momento.

As férias estavam escorrendo pelos dedos e meu estresse, agora, também acontecia porque o mercado financeiro global desabou comigo dentro, alavancado cinco vezes. Eu olhava para Luciana e dava risada... Dizia para ela:

"Como você se sente sabendo que perdeu 12 milhões de reais hoje?"

Ela, sempre calma, me dizia:

"Quantas pessoas no mundo podem dizer isso? Parabéns!"

E dávamos risada... Isso ainda complicava nossa situação com relação à decisão que tínhamos que tomar até a semana seguinte.

Vendemos ou não?

Pegamos 200 milhões na mão ou não?

No meio do impasse, vários pensamentos passavam pela minha cabeça. Um deles era que, ao saber que a Wizard havia se associado a um grande grupo internacional, pensei: "Já era. Nunca mais pego esses caras."

Com essa constatação, eu me perguntava se valeria a pena continuar nesse setor para ser o segundo lugar, porque, com tanto capital, eles não teriam limites. Pensava enquanto oscilava entre vender ou não vender.

No outro instante, eu pensava: "Preciso aprender mais sobre *equity*. Quem disse que não podemos jogar o mesmo jogo? Talvez possamos crescer ainda mais e este não é o melhor momento para vender."

O tempo passava rapidamente e a ansiedade não parava de aumentar. A essa altura, a angústia já era grande. Procurei cinco amigos, de diferentes formações, mas todos muito importantes para mim. Dos cinco, todos eram a favor de que eu vendesse e aceitasse os 200 milhões.

Um dia antes, tomamos a decisão. Eu e Luciana conversamos sobre o que estava dentro de nós. Algo nos dizia que não era a hora e que, por mais atrativo que fosse, poderíamos aprender mais sobre o jogo do *equity* e, quem sabe, até, fazer aquisições e competir de igual para igual com o Carlos e o Charles. Parecia uma loucura ir contra a opinião de nossos cinco conselheiros, mas decidimos não vender.

Chegou o dia da reunião. Marcamos no restaurante de um hotel cinco estrelas em São Paulo, onde estava hospedado. Charles atrasou por causa do trânsito. Me ligou avisando e os vinte minutos que levou para chegar não me deixaram mais ansioso, porque estava decidido com a mais absoluta convicção. Ele chegou e logo entramos no assunto. Quando disse a ele que não venderia, ele arregalou os olhos. Não esperava por isso. Duzentos milhões em dinheiro vivo para um moleque da periferia que andava de ônibus e começou o negócio treze anos antes, com cheque especial, não eram para ser recusados assim, dessa maneira. Mas foi o que aconteceu. Disse a ele que eu ainda tinha muito a realizar e que, em breve, eu poderia comprar a Wizard – ele que não duvidasse. Falei em tom de brincadeira, mas com aquele fundo de verdade. Charles nem almoçou. Preferiu sair sem comer. Eu almocei com um sabor diferente. Tinha acabado de perder oitenta por cento de meu dinheiro na Bolsa, mas, ao dizer não para 200 milhões, eu me senti valorizado e determinado a fazer aquela decisão ousada valer a pena.

Encerrado? Não, estava só começando. Não sei o que aconteceu, mas daquele momento em diante, abriu a porteira e comecei a ser visitado por vários fundos de investimentos. Eu me lembro, agora, de cabeça, de uns cinco que nos assediavam. Para dois deles, fundos americanos, "dei linha na pipa para ver qual é" até que fizessem a proposta. Entre 2009 e 2011, recebi mais de quatro propostas, cada vez maiores.

Duas delas, do Carlos e o Charles. Todo fim de ano, o Charles marcava um almoço e aumentava o lance. Em 2010, a proposta dele foi de 500 milhões de reais. A resposta foi não, de novo e, dessa vez, sem muito drama. Eu já estava aprendendo como tudo aquilo funcionava. Era um novo jogo e uma nova perspectiva.

Até que, em 2010, assinei um NDA com um grande fundo americano. A proposta deles avaliava a nossa empresa em 700 milhões e eles queriam comprar apenas trinta por cento. Ou seja, eu receberia, apenas dois anos depois da fatídica proposta (feita em meio a uma enorme perda de dinheiro na Bolsa), 210 milhões para vender apenas trinta por cento de minha empresa e ainda me manter no controle.

Eu já estava abusado. Perguntava para o fundo o que eu ganharia tendo-os como sócios. Eu tinha mais de 100 milhões em caixa na empresa, que crescia cinquenta por cento ao ano àquela altura. Então, perguntava por que deveria aceitar a proposta deles. O presidente desse fundo e seu executivo foram pessoas com quem me identifiquei muito. Gostei deles. Aliás, eles me conquistaram, e decidi seguir adiante.

Na última etapa, que aconteceu ao final de 2011, eu teria que fazer uma apresentação em Nova Iorque para um grupo de cerca de cinquenta diretores e conselheiros, muitos deles em outros países, ligados numa videoconferência. Detalhe, a apresentação seria em inglês.

Era uma manhã de quinta-feira. Estava muito frio em Nova Iorque, em novembro de 2011 e, por isso, além de vestir um terno azul-marinho, acompanhado de uma camisa social branca e gravata azul-clara, também tirei do armário um sobretudo preto, acompanhado de um belo óculos de sol. Andava com passos largos e firmes pelas ruas da cidade, brincando um pouco com a fumaça que saía de minha boca enquanto respirava, em direção a um dos endereços mais nobres da capital financeira norte-americana. Não chegava a me parecer com um mafioso com aquele figurino, mas uma enorme confiança pulsava dentro de mim, por saber que aquele seria um dia muito importante e a apresentação que eu estava prestes a fazer para um grupo de mais de cinquenta executivos, representantes de um fundo de investimentos norte-americano que administrava mais de 20 bilhões de dólares em ativos pelo mundo, seria decisiva para o futuro de minha empresa. Como disse, entre 2008 e 2011, fui ostensivamente assediado por vários fundos e bancos nacionais e internacionais, interessados em investir em minha empresa. Definitivamente, essa situação não se parecia com uma outra ocasião, bem diferente, quando fui abrir a minha primeira conta bancária (nunca me esqueço de que o gerente não queria sequer me dar um talão de cheques, usando aquele discurso clichê de que iria avaliar o meu perfil durante a minha movimentação financeira nos primeiros meses de correntista). Dessa vez, eu é que estava avaliando quem estaria dentro do perfil que eu idealizava para ser um dos meus sócios. Se não fossem aqueles investidores, seriam os seus concorrentes, que insistiam em marcar uma reunião ou, então, não seria ninguém. A essa altura não precisávamos do dinheiro deles, pois a empresa era uma forte geradora de caixa.

Éramos a menina bonita do bairro e todo mundo queria namorar com a gente. A pedido do executivo brasileiro que dirigia o fundo na América Latina, cheguei uma hora mais cedo. Eles queriam que eu ensaiasse a apresentação. Simularam possíveis perguntas que eu receberia e me deram orientações sobre como conduzir o protocolo, afinal, os executivos que assistiriam à minha apresentação eram todos *seniores*, inclusive o presidente mundial desse fundo estaria presente, acompanhado de todo o seu *staff* de executivos, além do presidente desse banco na Índia e executivos do Brasil via videoconferência. O ensaio aconteceu em meio ao nosso café da manhã, ali mesmo, em cima da mesa do escritório, sem *glamour* algum, muito típico do estilo de vida corrido de Nova Iorque. A essa altura, percebi que eles estavam bastante apreensivos e que, pelo que me pareceu, a aprovação daquele investimento seria algo muito importante para eles. O *deal*, ou negócio, como eles dizem na linguagem de banco, era grande, pois avaliava a nossa companhia em 700 milhões de reais, dos quais eles queriam comprar uma fatia de 30%. Aos trinta e oito anos, era a primeira vez que eu faria uma apresentação com tantos zeros em jogo e isso, para variar, me deixava supermotivado e sempre tendo em mente uma coisa que fazia parte de minha técnica de vendas, quando trabalhava na área comercial vendendo cursos de inglês: eles é que têm que me convencer de que serão bons sócios para mim e merecem uma oportunidade para participar de nosso tão bem-sucedido negócio. Depois de ser sabatinado por eles, uns dez minutos antes de iniciar a apresentação no salão de conferências, no vigésimo quarto andar de um dos edifícios mais modernos de Manhattan, para sair um pouco do estresse dos ensaios e recomendações insistentes sobre o protocolo com a cúpula do banco e a formalidade dessa reunião, fui para a janela da sala em que esperava, para apreciar o lindo dia ensolarado daquela manhã de inverno em Nova Iorque, que não economizava com a sua vista exuberante lá de cima. Num lance repentino e não planejado, ao mudar o foco de minha visão, eu me dei conta de que, no vidro da janela, a minha imagem estava refletida bem de frente para mim, ainda que bem translúcida.

Olhando o meu reflexo na janela, aproveitei para ajeitar a gravata. Depois disso, voltei a olhar a vista e fiquei pensando se seria possível imaginar, poucos anos antes, que eu estaria naquele lugar para fazer aquela apresentação e conversando sobre o tema em questão: um megafundo global tentando me conquistar para ser meu sócio. Me voltei para o meu reflexo no vidro da janela e viajei no passado, uns vinte anos. Lembrei-me das tantas vezes que, também no inverno, no Rio de Janeiro, em 1991, saía de casa por volta das 5h30 da manhã para o meu primeiro emprego, no ponto final do ônibus 396 – Bairro Jabour/ Praça Tiradentes para pegar o ônibus das seis horas, pois tinha que comparecer a uma reunião diária às oito da manhã no centro do Rio. A viagem era longa, com muitas retenções e em grande parte das vezes eu viajava em pé, amassado por quase duas horas naquele ônibus que diariamente saía lotado.

No inverno do Rio, o dia costumava a amanhecer por volta das sete e, por isso, demorava um bom pedaço da viagem até que amanhecesse, também olhando para o meu reflexo no vidro do ônibus, com dezenas de pessoas em volta, apertadas ali comigo. Eu não era do tipo que tinha a habilidade de dormir em pé, mas, muitas vezes, olhando para o meu reflexo, ficava pensando, refletindo e planejando tudo o que eu gostaria de fazer naquele dia. Era uma espécie de diálogo comigo mesmo. Foi muito interessante olhar para minha própria imagem no vidro do prédio e fazer uma sobreposição com a imagem do ônibus, numa viagem no tempo de vinte anos e ao mesmo tempo, em poucos minutos lembrar de todo o esforço e ver que tudo valeu a pena. O meu coração se encheu de gratidão e percebi que, realmente, eu havia caminhado bastante e aprendido muito para chegar àquela janela. Dessa vez, de Nova Iorque. No meio daquela viagem fui interrompido por uma pessoa do escritório, dizendo: "Vamos, Flávio? Todos já estão te esperando." Respondi que iria ao banheiro e em seguida iria para a apresentação. Saí em direção ao banheiro, ainda bastante impactado com o *déjà vu*, tentando me concentrar no roteiro que criamos. Lavei o rosto, olhei no espelho e falei: "Hoje é o seu dia! Vamos botar para quebrar!" Agradeci a Deus por aquele momento e parti para a apresentação, ainda sem conseguir me livrar daquele sentimento, que havia me tomado repentinamente enquanto estava na janela.

A sala de conferências era muito imponente, ainda mais com aquela plateia de megaexecutivos e investidores, todos cheios de protocolos, com hora para começar e hora para terminar. A duração prevista era de quarenta e cinco minutos e quanto a isso as recomendações eram bem claras. O idioma em comum de todos os presentes pessoalmente e em videoconferência era o inglês, e logo que entrei um executivo me apresentou a todos, contando em pouco mais de um minuto a minha trajetória, buscando valorizar o fato de que eles consideravam que a nossa empresa seria uma ótima opção de investimento depois de todo o estudo feito por eles. Fui chamado para a apresentação. O meu coração acelerou, a boca secou, o silêncio ensurdecedor tomou conta da sala, aguardando o ponto alto do dia que seria o meu discurso padronizado numa apresentação desenhada pelos executivos do fundo no Brasil e repleta de recomendações. Antes de começar a falar, olhei para aquela plateia e para as telas com os executivos da Índia e do Brasil em videoconferência e me lembrei de novo: não preciso deles, eles é que têm que me convencer de que serão bons sócios para mim. Então fiz tudo diferente do recomendado, ignorando a apresentação ensaiada, até porque, naqueles segundos, eu tinha concluído que o que estava previsto para a apresentação eles estavam carecas de saber, pois estudavam a empresa há mais de seis meses. Olhei para o executivo brasileiro, que me assessorou na apresentação e me deu todas as recomendações, e lhe disse: "Fernando, desculpe-me, mas resolvi mudar a minha apresentação.". Eu pude ver em seus olhos uma profunda preocupação, talvez misturada com alguma frustração e, quem sabe, esperando o pior. Resolvi compartilhar com os banqueiros o *insight* que eu tinha tido na sala de espera, olhando pela janela, enquanto esperava pelo início da conferência. Comecei falando de minhas origens, do ônibus lotado, aliás, perguntei a eles se já haviam pegado um ônibus com mais de cem pessoas dentro. Viajamos na realidade de milhões de brasileiros que acordam todos os dias com o grande desafio de se locomover. Isso para eles é no mínimo incompreensível, pois como um governo poderia permitir que isso acontecesse? Como um governo poderia agir com tanto descaso e falta de planejamento? Quando contei sobre a transposição das imagens refletidas no vidro (Nova Iorque e ônibus cheio), percebi alguns olhos brilhando e outros emocionados. Àquela altura, eu queria começar a falar mais de nosso modelo de negócios, mas eles insistiam em me fazer mais perguntas sobre as adversidades iniciais que eu passei, sobre minhas origens, sobre a taxa de juros de doze por cento ao mês do cheque especial que eu paguei quando peguei vinte mil reais do banco em 1995 (nos Estados Unidos, a taxa de juros de um empréstimo é de três por cento ao ano), dentre muitos outros aspectos. Mais de quarenta e cinco minutos se pas-

ANTES DE COMEÇAR A FALAR, OLHEI PARA AQUELA PLATEIA E PARA AS TELAS COM OS EXECUTIVOS DA ÍNDIA E DO BRASIL EM VÍDEOCONFERÊNCIA E ME LEMBREI DE NOVO: NÃO PRECISO DELES, ELES É QUE TÊM QUE ME CONVENCER DE QUE SERÃO BONS SÓCIOS PARA MIM.

saram e a conferência já se transformava numa viagem ao mundo da periferia do Rio de Janeiro, realidade de muitos jovens que desperdiçam seus talentos por acreditarem ser impossível mudar essa realidade e transpor as enormes muralhas sociais que estão à sua frente. Dos quarenta e cinco minutos inicialmente previstos, ficamos na sala por quase duas horas e, no final, fui cumprimentado por eles que, não apenas pelo negócio, agradeciam por terem conhecido um pouco mais da trajetória de quem começou do zero, ou melhor, começou abaixo de zero, do negativo, e chegava ali com tanta segurança e desenvoltura na apresentação.

O executivo brasileiro, agora mais tranquilo, foi o último a me parabenizar. De lá, voltei para o hotel e, ainda com a roupa no corpo, deitei na cama e fiquei olhando para o teto, relaxando um pouco, mas ainda sem ter conseguido parar de me lembrar daquele tempo, das dificuldades vencidas e do motor que me movia em direção a uma mudança de vida. Pelo que tudo indicava, os investidores estavam "babando" para comprar trinta por cento da companhia, mas algo dentro de mim não me deixava sentir a segurança ou o entusiasmo para avançar, apesar de potencialmente embolsar 210 milhões de reais naquela operação.

Não adiantava mais ficar pensando naquilo, mas não pude deixar de refletir sobre como tudo começou, sobre minhas primeiras experiências na vida e como foi construído, quem eu havia me tornado até aquele momento, como eu tinha adquirido todo o conhecimento que me proporcionou experimentar um enorme crescimento.

Voltei para o Brasil com um gostinho doce na boca. A experiência foi espetacular, tanto dentro da sala de reuniões, no resultado final, como também pelo *déjà vu* que tive na janela do prédio. O ano de 2011 acabou, fechamos com um excelente resultado na empresa e, logo no mês de janeiro, tinha marcada uma reunião com o fundo em São Paulo, para tratarmos do andamento dos procedimentos finais para fechar a venda de trinta por cento. Eu já estava decidido.

A reunião seria um almoço em um restaurante bacana, sempre pago pelo fundo. O presidente e seu executivo, braço direito, estariam na reunião. Ao chegar no restaurante, estava somente o executivo. Ele me deu a notícia de que o presidente, com quem eu conversei por cerca de um ano e meio, não trabalhava mais no fundo, pois havia recebido uma proposta irrecusável para assumir em outra instituição financeira. Não gostei da notícia, pois percebia que o negócio com o fundo era institucional e aquelas pessoas com quem eu me relacionava eram passageiras. Fiquei preocupado por ter um sócio com esse perfil, mas ainda assim decidi prosseguir. O executivo tentou me vender o novo presidente e me descreveu suas características. Quando ele chegou, foi muito educado e, logo de início, fez uma pergunta que me deu indícios de que eu não deveria continuar aquele negócio. Ele perguntou: "Me fala um pouco da WiseUp. Como é o seu modelo de negócios?".

Eu olhei para ele e fui bem direto: "Fulano, com todo respeito, eu não estou com vontade de falar nada sobre a WiseUp. Eu estou há um ano e meio fazendo isso e até em Nova Iorque eu fui para falar da WiseUp. Penso que você já tinha obrigação de saber a respeito, e não me perguntar mais sobre o assunto."

Ele, um executivo muito preparado e inteligentíssimo, pediu desculpas e mudou de assunto. No entanto, entrou em um assunto ainda pior. Disse: "Estava analisando e achei o preço negociado meio puxado...".

Era o que eu precisava para ter a certeza de que aqueles 210 milhões pelos trinta por cento sairiam muito caros. Eu o interrompi educadamente e disse que esse assunto também estava sendo discutido há um ano e meio, e que não estava aberto para discuti-lo novamente. Então, sugeri encerrarmos a reunião, porque eu precisava refletir sobre que direção eu tomaria. Agradeci e saí.

Dois meses mais tarde, Charles voltou a entrar em contato. Disse que, dessa vez, tinha uma proposta irrecusável. De fato, a proposta dele era muito boa: 990 milhões à vista. Como seu sócio, ele tinha um grande banco brasileiro. A diferença é que, dessa vez, um outro grande grupo também entrou na jogada: a Abril Educação. Bem, o final dessa história, que se estendeu por todo o ano de 2012, foi a venda da WiseUp no dia de meu aniversário, em 7 de fevereiro de 2013, para o grupo Abril.

PONTO DE INFLEXÃO

Essa passagem de minha trajetória ilustra um dos maiores impasses vivido até aquele momento. Eu estava vivendo um Ponto de Inflexão e tinha a clara consciência de que minha vida seguiria caminhos muito distintos, a depender da escolha que eu fizesse. Dessa vez, eu realmente temi, pois sabia que, desde a primeira proposta, eu tinha algo extraordinário em mãos, tanto que meus amigos conselheiros, por unanimidade, recomendaram a venda. Porém, algo dentro de mim me freava e fazia com que eu não tivesse paz para avançar. Afinal, desde aquela época eu não tinha poder de prever o futuro e, como estabilidade não existe, eu poderia estar diante da melhor proposta possível por toda a vida ou, quem sabe, a menor delas. Fatores como a economia, o mercado, o desempenho do setor, entre outros, todos alheios à minha vontade, e que não eram possíveis de serem equacionados naquele momento. Esse impasse só foi solucionado quando precisei lançar mão de minha intuição, mesmo pressionado pela perda financeira na Bolsa, que tinha acabado de amargar.

Este foi um Ponto de Inflexão que desafiou a minha percepção de *timing* e, diante de uma única decisão, fosse ela qual fosse, eu poderia estar perdendo o bonde da vida, ou, como se fala no mercado financeiro, estaria acertando na mosca, ou melhor, nas nádegas da mosca com absoluta precisão.

Para ilustrar bem o desafio do *timing*, tenho um amigo que administrava uma indústria da família e teve uma proposta de 400 milhões de reais de um concorrente para comprá-la. A família se reuniu e decidiu que não venderia. O mercado mudou, o Brasil desceu a ladeira, o concorrente que fez a proposta reduziu o tamanho e a família, que se recusara a vender por 400 milhões, precisava aportar dezenas de milhões por ano para manter a fábrica rodando, enquanto buscava um novo comprador – dessa vez, queria alguém que pagasse pelo menos 40 milhões de reais, dez vezes menos. Ainda assim, ninguém se apresentou e a fábrica fechou suas portas, restando apenas dívidas e dezenas de processos trabalhistas.

Percebem a importância do *timing*?

Qual é a melhor hora para entrar e a melhor hora para sair? Essa pergunta esconde os segredos entre o sucesso e o fracasso de uma vida inteira.

Talvez isso explique o tamanho do estresse que vivi naquele mês, pois estava experimentando a exata consciência do impacto que aquela decisão poderia representar na minha vida.

A cada proposta que recebi a seguir, percebia o quão aquecido estava o mercado e o tamanho do apetite do meu concorrente, aliado ao frequente assédio dos fundos de investimentos. Entre 2008 e 2013, convivi com um ritmo forte de produtividade sem que fosse afetado pela rotina paralela das negociações. Reconheço que consegui manter o foco e o equilíbrio, frequentemente perdido por quem passa por processos como esses.

Por fim, entendi que havia chegado ao fim da linha, ou pelo menos eu achava que era, porque eu não sabia que recompraria a WiseUp anos à frente, mas a decisão de recompra é um Ponto de Inflexão que falaremos alguns capítulos adiante.

E se eu tivesse aceitado a proposta do Carlos Wizard, que me pagaria 200 milhões de reais?

Seria *game over* para mim em 2008. Não estaria mal, afinal, 200 milhões no bolso de um jovem de trinta e seis anos não seria um grande problema, mas, certamente, teria saído do jogo antes de marcar mais alguns gols, uma vez que o período de maior crescimento da WiseUp aconteceu entre os anos de 2009 e 2012. Se tivesse vendido por 200 milhões, teria desperdiçado uma oportunidade de geração de valor que colheria depois de quase duas décadas de plantio. Certamente, não teria comprado o Orlando City – no qual investi 200 milhões de reais, e que hoje vale mais de 2,2 bilhões de reais.

Como disse, não estaria mal, mas teria deixado de avançar alguns anos-luz, o que aconteceu em apenas cinco anos, entre 2013 e hoje, 2018.

Por mais que analisemos bem, façamos todo dever de casa e tenhamos todos os elementos técnicos para tomar uma decisão, na hora "H", o ingrediente para lidar com o impasse do *timing* é a coragem, já que, em qualquer hipótese, na hora de decidir, seja vendendo ou negando a proposta, a hora da verdade exige de todos nós muita coragem. Essa é a hora de saltar do *bungee jump*. Ninguém te empurra. O que conta é somente a tua coragem de saltar.

8

EU SOU
GV

Há Pontos de Inflexão em nossa vida que são resultados de caminhos que tomamos de forma completamente despretensiosa. Este é um deles.

Em 2015, eu recebi um grande reconhecimento nos meios de comunicação. Uma respeitada empresa de consultoria de RH, a Cia de Talentos, do grupo DMRH, fez no Brasil uma pesquisa com 67.896 jovens brasileiros entre dezessete e vinte e seis anos com a seguinte pergunta aberta e espontânea:

"Qual é o líder mundial que você mais admira?"

A pergunta era tão aberta que o jovem poderia responder dizendo o nome do seu pai, de seu professor, o do Tiririca, do seu político preferido, empresário e até jogador de futebol. Na hora em que a lista dos cinco líderes mundiais mais admirados pelo jovem brasileiro foi publicada em vários meios de comunicação, eu fiquei sem palavras! Veja a lista:

1º Barack Obama
2º Flávio Augusto da Silva
3º Bill Gates
4º Papa Francisco
5º Jorge Paulo Lemann

Nunca imaginei que ficaria na frente do Papa em qualquer lista de popularidade ou admiração que pudesse existir, especialmente em se tratando de uma pergunta aberta e espontânea feita para mais de 50 mil jovens.

Eu tinha trabalhado por dezoito anos, começando do zero, sem participar de programas de TV, sem estar exposto em eventos sociais ou no meio político.

De onde viria tal expressão pública com esse nível de penetração nas camadas mais jovens e críticas do Brasil?

Bem, para explicar melhor esse fato curioso, eu teria que voltar uns seis anos antes dessa pesquisa.

Você se lembra que, em 2009, eu me mudei para os Estados Unidos, no intuito de fazer vingar minha gestão à distância? Pois é, todas as sete vezes em que nos mudamos de país – além do Brasil, nós moramos na Venezuela, Austrália, Estados Unidos, Espanha, Inglaterra e Portugal – tínhamos a oportunidade de remontar a nossa vida. Desde escola para as crianças, adaptação cultural, idiomas, moradia etc. Em 2009 não foi diferente.

Logo, assim que chegamos em Orlando, além de toda a adaptação necessária, mais uma vez, eu queria muito fazer dar certo a tal gestão à distância e não medi esforços, porque eu sabia que, se algo desse errado, eu teria que retornar ao Brasil – o que nunca foi um problema –, mas jamais gostaria de ter que retornar por fracassar de novo. Então, o meu empenho para fazer tudo funcionar bem foi muito grande.

Em 2011, com o modelo de gestão já consolidado, os resultados foram eloquentes e experimentei um tsunami de crescimento numa ordem de mais de cinquenta por cento ao ano, o que, para uma empresa madura, com mais de quinze anos de existência, é considerado excepcional.

Com tudo funcionando muito bem, os resultados em alta, a equipe produzindo na minha ausência física e, cada vez mais, me sentindo com menos desafios e mais tempo, confesso que senti falta do contato direto com a ponta e todo o calor do campo de batalha.

Eu sempre fui muito atuante, muito presente e com expedientes que nunca eram inferiores a doze horas diárias. De repente, com algumas reuniões em videoconferência, tudo caminhava muito bem. Um cenário perfeito para me acomodar. Mas não deu. Meu apetite sempre foi muito grande e, daquela vez, decidi aplicar minha força de produção, foco e atenção num projeto que estava fora da bolha de nossa rede de escolas. Eu decidi ampliar as fronteiras e impactar pessoas de todo o Brasil com a força gerada por meus conteúdos, antes presentes somente dentro dos portões da WiseUp.

O local escolhido foi o YouTube, o Twitter, o Facebook e, por fim, o Instagram.

Minha meta era fazer as pessoas pensarem e refletirem sobre o modelo padronizado apresentado pela sociedade. Eu queria que as pessoas enxergassem que a vida era muito mais do que a CLT e que existiam várias outras formas de vida; entre todas elas, empreender. Para isso, passei a produzir conteúdos diários, compartilhando minha experiência na gestão de pessoas e em negócios, a fim de mostrar aos brasileiros que empreender podia ser uma excelente alternativa. Com uma linguagem forte e desafiadora, eu poderia mostrar às pessoas que a linha de montagem do sistema de ensino formal dava total prioridade à formação dos empregados das empresas públicas e privadas. Por outro lado, no *Geração de Valor*, o empreendedorismo era o centro do discurso. Minha experiência, adquirida nas quase duas décadas empreendendo, e principalmente meus resultados alcançados nesse período seriam os pilares de minha autoridade para abordar os temas com ousadia e propriedade. A propósito, a percepção do público sobre essa rara legitimidade foi a principal razão do explosivo crescimento da audiência do *Geração de Valor*.

O nome do projeto escolhido foi *Geração de Valor*. Uma expressão de duplo sentido. Um dos sentidos está relacionado às novas gerações que tinham valores raros e nobres. O segundo sentido, referindo-me à expressão técnica do mercado financeiro, *Geração de Valor*, ou seja, criação de riquezas.

A página no Facebook explodiu e logo se tornou o meu principal canal de comunicação, especialmente por meio da produção de artigos, que eram postados quase que diariamente. O Twitter serviu como um espaço de replicação automática de conteúdos, enquanto o YouTube, o primeiro de todos os canais utilizados, ficou de lado, por exigir mais trabalho na produção. Ainda assim, os poucos vídeos atingiram mais de 15 milhões de visualizações. Rapidamente, mais de 5,5 milhões de pessoas passaram a seguir os perfis do *Geração de Valor*, que mantêm uma média de mais de 20 milhões de impactos por semana.

Sem qualquer pretensão de alcançar números tão expressivos para conteúdos que não estavam relacionados a piadas ou a mulheres seminuas, no ano de 2014 eu já era frequentemente abordado por pessoas nos aeroportos, shoppings e até na rua, porque diziam me conhecer da internet e logo sacavam seus celulares prontos para tirar uma foto.

Esse reconhecimento do público explicava a pesquisa da Cia de Talentos, que me colocou mais "pop" que um dos papas mais "pops" de todos os tempos, o Francisco. Essa pesquisa coincidiu com o primeiro livro que escrevi e que se tornou, naquele ano, o livro de negócios mais vendido do Brasil. O mesmo fenômeno em vendas ocorreu com os dois livros que lancei nos anos seguintes. Aliás, com o resultado de mais de 700 mil livros vendidos, meus direitos autorais renderam uma boa grana, que foi doada para projetos sociais, reformando escolas do sertão do Sergipe.

A venda da WiseUp, a compra do Orlando City, a construção de nosso estádio e a recompra da WiseUp foram acompanhadas por milhões de pessoas, como que num *reality show*, potencializando os resultados de minha gestão e de minha iniciativa como empreendedor. Como analistas de Bolsa de Valores que cobrem empresas listadas, o público acompanhou cada investimento torcendo por mim – outros nem tanto –, e comemorou cada sucesso alcançado. De 2011 a 2018, perdi a liberdade do anonimato, mas ganhei uma legião de amigos virtuais, com quem me relaciono diariamente, dando conteúdos e recebendo o carinho. São desconhecidos, mas que me veem como um íntimo participante de sua jornada de vida, através de livros, podcasts, artigos no jornal, charges no Instagram, artigos no Facebook e provocações no Twitter, que hoje tem seu conteúdo próprio.

No final de 2018, criei a versão 3.0 do *Geração de Valor* para fugir dos algoritmos das redes sociais, que passaram a limitar o alcance das publicações orgânicas, quando muitos de nossos usuários passaram a não receber nossos conteúdos. Criamos o app, "EU SOU GV", disponível para iPhone e Android, com conteúdos diários e gratuitos. Eu e um time de professores despejamos com mais liberdade o nosso material produzido em vários formatos. Em dois meses, mais de 150 mil downloads foram feitos em mais de 102 países. Passamos a ter controle total dos dados, a notificar a nossa audiência e, o principal, o engajamento com o nosso público aumentou exponencialmente. A meta para o primeiro ano é de um milhão de downloads.

Se, por um lado, perdi alguma liberdade, por outro, os que me acompanham na internet se tornaram consumidores espontâneos de meus produtos. São muitos dos assinantes do meuSucesso.com, alunos da WiseUp ou Number One, alunos do Power House, dezenas deles se tornaram franqueados da WiseUp. Até investidores no estádio do Orlando City tiveram origem nesse movimento.

Em nenhum momento imaginei ou premeditei que eu receberia tanto em troca, sem contar o prazer que sinto em me relacionar com gente de todo tipo, às vezes ouvindo o que não quero, mas sempre mantendo o foco em ajudar. Penso que minha sinceridade por tantos anos, percebida pelas pessoas, fez com que tenha feito por merecer a confiança que recebo das pessoas e que eu queria sempre corresponder e fazer por merecê-la.

Em quase oito anos, não foram poucos os depoimentos emocionantes de pessoas que foram fortemente impactadas com conteúdos do GV nos seus diversos formatos. Pessoas a ponto de cometer suicídio, em estado de depressão profunda, sem esperança ou perspectivas. Muitas vezes, simplesmente porque não conseguiram superar frustrações ou porque não se encaixaram na linha de montagem oferecida pela sociedade.

No fundo, o simples fato de ouvirem, mesmo de um estranho, uma linguagem de encorajamento, aliada à apresentação de uma nova perspectiva que o empreendedorismo proporciona, abrem-se portas para novas possibilidades e a vontade de viver e de conquistar se renovam.

Também há muitos casos de empresas que foram criadas e ideias que saíram do papel. Não é com pouca frequência que recebo mensagens de agradecimento de quem já colhe frutos de seus projetos. Não consigo imaginar e quantificar o número de empregos e riqueza gerados. Isso seguramente é parte de uma remuneração indireta que recebo todos os dias.

A propósito, eu costumo dizer que eu sou profundamente recompensado, não apenas financeiramente, pela divulgação de meus projetos, ainda que de forma orgânica e despretensiosa. A percepção de importância do trabalho que faço me dá um grande sentimento de que minha contribuição está muito além do que esteja relacionado aos meus interesses pessoais. Já é parte do meu propósito de vida e significado, o que me traz uma alegria que não se pode comprar em uma farmácia ou mesmo ser prescrita por um médico. Laboratório algum seria capaz de produzir uma droga capaz de me proporcionar o prazer de saber que o meu trabalho impacta milhões de pessoas, homens, mulheres e crianças que terão ao menos uma chance de viver melhor.

PONTO DE INFLEXÃO

Mesmo eu, que vivi e ainda vivo toda essa transformação promovida por este furacão chamado *Geração de Valor*, ainda fico surpreso enquanto escrevo sobre esse tema neste momento. Fica evidente o impacto que todo esse processo causou em pouquíssimo tempo em minha imagem, catapultando minha expressão pública e resultados empresariais para outro nível.

No entanto, é fundamental constatar que, se no momento em que eu estava mais ocioso em Orlando, em 2011, por estar finalmente tendo sucesso em meu projeto de gestão à distância, eu tivesse escolhido ocupar o meu tempo vago com atividades voltadas para mim mesmo, para o meu próprio prazer, o que seria merecido depois de quase duas décadas trabalhando arduamente, nada disso teria acontecido.

Ou seja, quando eu poderia ter gastado o meu tempo para me acomodar ou curtir a vida, eu decidi continuar a produzir, pensando em colaborar com jovens que estavam dando seus primeiros passos. Resolvi retribuir, trabalhar voluntariamente, sem ganhar nada, ou melhor, pagando para trabalhar. Mais do que isso, produzindo, escrevendo best-sellers, e realizando palestras e doando todo esse recurso para nossos projetos sociais e, como consequência que jamais imaginei, tudo isso se reverteu e se reverte para mim de forma brutal. Na realidade, essa é a forma que escolhi de curtir a vida. Quanto mais faço de forma despretensiosa, percebo que mais recebo de volta.

Sendo assim, no dia em que eu decidi criar o *Geração de Valor*, com a finalidade de colaborar voluntariamente com jovens através de meu conhecimento e experiência empresarial, um grande Ponto de Inflexão se formava bem diante de mim. Não tinha a menor ideia da dimensão que tudo isso tomaria. Tenho a consciência de que ajudei bastante, mas não posso negar: quanto mais dou, mais eu recebo.

VIREI
CARTOLA

NOS
ESTADOS
UNIDOS

Depis que passamos por um Ponto de Inflexão e colhemos frutos de boas decisões, ninguém imagina como foram aqueles dias que antecederam o salto do *bungee jump*. Ninguém tem noção das noites em claro, dúvidas, planos e mais planos de negócios, aliados à excitação pelo desafio e à paixão gerada pela visão que não saía da cabeça, dia após dia.

Há Pontos de Inflexão que nos exigem mais, porque têm o poder de nos fazer passar de fase e, para isso, temos que enfrentar monstros mais poderosos, evoluirmos e sermos alçados a um novo patamar. Nada mais será como antes.

Com o Orlando City foi exatamente assim. Afinal, em 2012, falar em futebol nos Estados Unidos, quando mesmo os norte-americanos e sua imprensa esportiva ainda não tinham enxergado o potencial da bola mais valiosa do planeta (a de futebol), eu já tinha percebido que algo muito estranho acontecia aqui na Terra do Tio Sam.

Desde 2009, meu filho mais velho, Brenno, jogava futebol. Como ele tinha muita intimidade com a *pelota*, logo se destacou e, com isso, eu viajei por toda a Flórida, como um típico *"soccer dad"*, como seu motorista, ao acompanhá-lo nos torneios. Durante todos esses anos, fiquei muito impressionado com o enorme envolvimento dos pais com seus filhos. Os torneios estavam sempre lotados e isso me chamou atenção, pois, no Brasil, o "País do Futebol", nunca tinha observado o mesmo engajamento.

Para contextualizar o ano de 2012, eu já morava há três anos nos Estados Unidos e a gestão à distância, com que tanto sonhei, estava dando super certo e, no ano anterior, em 2011, tinha lançado o *Geração de Valor* nas redes sociais e os conteúdos estavam bombando. Além disso, desde 2008, estava sendo assediado por fundos, bancos e concorrentes para investirem em minha empresa. No entanto, foi em 2012 que começou uma concorrência entre o Grupo Multi, de Carlos Wizard, e a Abril Educação pela compra da WiseUp.

2012 também foi o ano em que eu assinei um contrato com a Fifa e a WiseUp tornou-se patrocinadora oficial da Copa de 2014 no Brasil. Para aproveitar melhor as propriedades de marketing do maior evento esportivo do mundo, que aconteceria em nosso quintal, eu contratei uma das maiores agências de marketing esportivo, chamada Octagon. Uma das minhas exigências para contratar a Octagon foi a de ser atendido diretamente pelo presidente, o brasileiro Alexandre Leitão. Em nosso primeiro encontro, que levou mais de dois meses para acontecer, porque não conseguíamos conciliar as agendas, gastamos quarenta e cinco minutos falando sobre como poderíamos explorar a competição de maneira a darmos mais visibilidade à WiseUp e cerca de três horas falando sobre um assunto fora de pauta: futebol nos Estados Unidos. Perguntei a ele sobre sua opinião e fiquei surpreso por termos a mesma visão sobre o fenômeno que enxergávamos estar ocorrendo no país. Disse a ele que estava querendo comprar um clube de futebol para atuar na MLS (*Major League Soccer*) e perguntei o que ele achava. Ele respondeu com um enorme entusiasmo. Fiquei muito feliz, porque, sendo ele um especialista em esporte, executivo e sócio de uma agência de marketing norte-americana, a Octagon, comprovava minha visão que a cada dia me conquistava mais.

Entusiasmado com a sinergia de pensamentos, perguntei se ele já tinha pensado em atuar num projeto de um clube na MLS. Alexandre respondeu assim: "No dia em que o maior esporte do mundo se encontrar com o maior mercado de marketing esportivo do planeta, eu quero estar no meio disso."

Então, fui enfático e perguntei: "Se eu comprar um clube e entrarmos na MLS, posso contar com você?".

Ele não pestanejou e disse, depois de algumas horas que nos conhecíamos: "Deixo tudo aqui e vou na hora!" Apertamos as mãos.

Daí para frente, começamos as pesquisas. Com a primeira delas, com muitos detalhes, tive acesso a todos os perfis de quem consome esportes nos Estados Unidos, com números muito bem detalhados. Todos os dados sobre futebol comprovavam a grande tração.

Logo, chegamos à conclusão de que deveríamos atuar no sudeste dos Estados Unidos, onde não havia um clube sequer na MLS. As cidades de Atlanta e Orlando eram as opções escolhidas. Em Orlando, onde morava, existia um pequeno clube que atuava numa liga equivalente a uma terceira divisão. Ele se chamava Orlando City. Apesar de pequeno, tinha um grupo em torno de três mil e quinhentos torcedores que o apoiavam nos jogos em casa. O clube era relativamente organizado e era liderado por um inglês chamado Phil Rawlins. Phil era apaixonado pelo projeto do clube, tramitava bem em vários setores da cidade e havia ganhado apoio da comunidade local. Apesar desse sucesso inicial do clube, para chegar à MLS havia um abismo financeiro intransponível, pois era preciso que o time tivesse um estádio moderno e que fosse aceito pela liga, o que significava fazer um investimento financeiro alto, já que cada dono de clube é sócio da liga, que também é uma empresa privada.

No total, o projeto do clube de futebol nos Estados Unidos demonstrou precisar de um investimento maior do que eu esperava. Entre a aquisição do pequeno clube, estádio, implantação e investimento para me tornar acionista da liga, eu precisaria investir mais de 200 milhões de reais. Para colocar tudo isso em prática, agora, eu precisava apenas de duas coisas:

1. Ser aceito pelos proprietários dos clubes que eram acionistas da Liga, para que eu fizesse parte do seleto grupo de proprietários de clubes de esportes nos Estados Unidos;
2. Preencher um cheque de 200 milhões de reais.

Eu não tinha vendido a WiseUp e tampouco tinha certeza se ela seria vendida, mas tinha que tomar essa decisão, se eu quisesse realmente comprar o clube, àquela altura, mesmo contra a intuição do senso comum que não enxergava potencial no futebol nos Estados Unidos. Eu via uma enorme chance de multiplicar o meu patrimônio, além de aprender muito empreendendo nos Estados Unidos e avançar dez casas no tabuleiro.

A partir daí, quando as ideias, sonhos e planilhas saíram de cena e a hora da execução começou, a tensão aumentou. Ainda assim, dei seguimento. O próximo e último passo era comparecer a uma reunião chamada de *Board of Governors*. Ela acontece trimestralmente e reúne todos os donos de clubes para deliberarem sobre temas relacionados à Liga quando votam para as decisões mais estratégicas. É uma visão muito imponente. Uma sala grande com uma mesa em formato de conferência, com cerca de vinte donos de clube sentados em volta, com seus executivos sentados atrás deles. Na cabeceira da mesa, o *Commissioner* da Liga e, atrás dele, um *staff* de mais de trinta pessoas. Entre os donos dos clubes, somados, tínhamos na sala uma parcela importante do PIB norte-americano. São famílias muito tradicionais e fundadores de grandes impérios. Ser dono de um clube de esportes nos Estados Unidos é brinquedo de bilionário. No meio de todo esse povo, um menino da periferia do Rio de Janeiro foi designado para fazer uma apresentação sobre seu projeto de investir 200 milhões de reais para estruturar um clube de padrão internacional na cidade do Mickey Mouse.

A apresentação em inglês – santas aulas da Austrália – com duração de cerca de vinte minutos foi seguida de mais vinte minutos de perguntas de todos os gêneros daqueles que estavam prestes a se tornarem os meus novos sócios. Cabia a mim mostrar o meu currículo como empreendedor e provar que eu seria plenamente capaz financeiramente de colocar o projeto de pé com sucesso. Depois da apresentação, eles me agradeceram com muita gentileza e saí da sala, onde eles permaneceriam em reunião por todo o dia tratando sobre diversos assuntos.

Duas semanas depois, recebemos o resultado: o Orlando City e eu fomos aceitos na MLS. A cidade de

Orlando seria a mais nova cidade dos Estados Unidos a ter um clube profissional que receberia as estações de TV que transmitiriam os jogos para todo o país e mais de cento e cinquenta países. A festa foi grande entre todos os envolvidos no projeto. Para mim também, mas a pressão aumentava na medida que, de fato, agora, eu teria que tomar uma decisão final. Estávamos longe demais para eu voltar atrás, mas não importava, eu ainda não tinha assinado nada. A assinatura do contrato foi marcada para trinta dias depois. Agora era a minha hora.

Prosseguir ou não?

Investir 200 milhões de reais no futebol nos Estados Unidos?

Isso realmente vai emplacar?

O momento do Ponto de Inflexão é quase sempre repleto de dúvidas, medos e inseguranças. Nessa hora, não é a planilha que te dá segurança, nem os estudos das consultorias que obtivemos e tampouco o sucesso alcançado por outros clubes. Na hora de saltar do *bungee jump*, é você quem pula ou não. Ninguém te empurra. É você, sozinho, com o vento batendo na cara, que terá que decidir saltar pendurado por uma corda, que pode arrebentar, ou descer ao som das vaias e risadas daqueles que estavam lá embaixo apenas aguardando para tripudiar de sua covardia.

Para completar o impasse, inicialmente imaginávamos, pelo histórico de clubes anteriores, que o investimento não passaria de 100 milhões, porém, a procura já estava começando a aumentar e isso pressionava o *Comissioner*, a pedido dos donos, que o preço fosse ajustado. Quando soube sobre os 200 milhões, o mesmo valor pago pelo Sheik Mansour, dono do Manchester City, para implantar o New York City no mesmo ano, o menino da periferia balançou. Afinal, eram cem milhões de reais a mais.

Naqueles trinta dias de espera pelo contrato, voltei a viver o impasse: e aí, avanço ou não? Eu me perguntava em busca de uma resposta convincente.

Esse negócio era muito diferente de todos que eu já tinha realizado. Não era uma geração de valor baseada numa operação local simplesmente, mas sim, uma operação que dependia do crescimento do esporte nacionalmente, as audiências na TV, o interesse de patrocinadores e o aumento da percepção de todos os envolvidos no ecossistema de futebol nos anos seguintes, nos Estados Unidos. Ou seja, não dependia só de mim realizar o meu trabalho no clube. Portanto, o fator mais importante, antes de eu assinar o contrato, era ter a leitura correta sobre o *timing* de entrada na Liga em relação ao histórico de performance de todos os outros esportes nos Estados Unidos e o mercado. Minha visão é que isso nos daria uma boa pista. Aliado a isso, como futebol é um esporte global, como o mundo perceberia a MLS como uma liga de grande potencial também influenciaria o crescimento desse projeto. Portanto, eu estava diante de uma decisão binária: entrar ou não entrar. Meter a mão no bolso e pôr 200 milhões de reais ou não.

Uns dez dias antes da assinatura do contrato, numa conversa com a Luciana, fizemos o que sempre fazíamos diante de decisões importantes de nossa vida: avaliamos os piores cenários. Nessa conversa, chegamos à conclusão de que a pior coisa que poderia acontecer era perdermos 200 milhões de reais. Nada mais do que isso. Diante dessa conclusão, ficou mais simples decidir, pois, se desse tudo errado, perderia dinheiro, nada mais, e aprenderia muito sobre esportes nos Estados Unidos. Além disso, teria me divertido bastante. Afinal, não é todo mundo que pode brincar de cartola de verdade.

Quanto mais se aproximava o dia, mais eu me sentia motivado, deixando de lado a insegurança e, pelo contrário, voltando a olhar o potencial do esporte, os números de audiência que cresciam e o espaço que havia para ser conquistado pelo *soccer* nos próximos anos. Chegou o dia.

Na cerimônia do anúncio oficial, que ocorreu em dezembro de 2013, estavam presentes o governador da Flórida, o prefeito de Orlando e todos os congressistas, deputados e senadores da região. Todas as estações de TV locais e veículos de comunicação, mais de 10 mil torcedores e o *Comisssioner* da MLS, que anunciou a entrada do Orlando na MLS, a principal liga de futebol dos Estados Unidos.

Foi uma noite de grande festa e, pela primeira vez, eu estava percebendo o que aquela decisão representaria para minha trajetória. A notícia rapidamente se espalhou nos Estados Unidos e no Brasil, quando, pela primeira vez, um brasileiro se tornara proprietário de um clube de primeira divisão nos Estados Unidos. A notícia ainda era vista com muita desconfiança pela imprensa brasileira, que sempre fazia as mesmas duas perguntas:

1. Por que nos Estados Unidos?;
2. Por que não no Brasil?.

Nos Estados Unidos, porque eu vislumbrava, em pouco tempo, a ascensão do maior esporte do mundo acontecendo no maior mercado de marketing esportivo do planeta. Com frequência, os jornalistas confundiam o crescimento do mercado norte-americano com tradição em futebol dentro do campo. São duas coisas completamente diferentes e, nos primeiros meses depois da notícia, eu me dediquei muito a explicar a diferença entre elas. Como mercado, os

Estados Unidos iriam explodir, segundo minhas previsões e, dentro do campo, a tradição vem com o tempo.

E para explicar por que não no Brasil, nesse mesmo período eu me dediquei a mostrar que no Brasil os clubes não são empresas, e que o modelo existente não abria espaço para que eu fosse dono, sócio ou acionista do Flamengo, time pelo qual torcia desde minha infância, por exemplo.

No meio de todos esses questionamentos durante o ano de 2014, ano da Copa, lembrando que, nesse ano, eu estava morando em Portugal, aconteceram dois fatos muito impactantes, que mudaram o rumo da liga. Durante os jogos da Copa, em que os Estados Unidos jogaram, as audiências desses jogos no país ultrapassaram a audiência das finais da NBA e do *baseball*. Essa notícia veio como uma bomba em toda a comunidade do futebol mundial. Ela serviu de grande validação do fenômeno que eu tentava explicar a todo momento, mas que ainda não era percebido pelo mercado e pelos setores da imprensa especializada. Esses números não deixaram dúvidas sobre o que estava acontecendo nos Estados Unidos. O futebol passou a ser visto como uma realidade, e não mais uma promessa. Na prática, além de matérias sobre o assunto em todo o mundo, a procura por investidores e patrocinadores aumentou bastante.

O outro fato marcante nesse período foi que anunciamos a contratação do Kaká, que se apresentou num evento que reuniu mais de 12 mil torcedores nas ruas da cidade.

No final do ano de 2014, apenas um ano depois de ter me tornado acionista da MLS, a liga assinou um novo contrato de transmissão de TV, no valor de quase 1 bilhão de dólares pelo período de oito anos, contra 68 milhões de dólares por ano no contrato anterior.

Rapidamente, mesmo antes de termos sequer chutado a bola, o que veio a acontecer em março de 2015, nosso investimento no futebol dos Estados Unidos mostrou-se ter sido feito no *timing* exato, pouco antes de explodir a percepção do mercado sobre o fenômeno que já ocorria com o *soccer*.

Dia 3 de março de 2015 foi a data de nosso primeiro jogo. Nossa estreia. Mais de 65 mil pessoas lotaram o Citrus Bowl, um estádio da prefeitura usado na Copa de 1994. Uma multidão sem precedentes para uma estreia. Um prenúncio para uma média de público de quase 33 mil torcedores por jogo em 2015, média maior do que qualquer clube brasileiro naquele ano.

Com essa média de público e grande engajamento da comunidade, o Orlando City angariou mais de cinquenta patrocinadores, grandes marcas como Disney, Heineken, Publix, Adidas, Audi, Ford, Coca-Cola, YouTube e TAG Heuer, entre muitas outras.

A procura de ingressos é tão grande que, todos os anos, vendemos mais de 350 mil ingressos com um ano de antecipação. Para assistir a um jogo do Orlando City, o ingresso tem um preço médio de 198 reais.

Hoje, para conseguir uma nova franquia da MLS – até 2022 apenas mais duas serão concedidas – 12 grupos empresariais multimilionários mostram disposição de investir até 500 milhões de dólares para conseguir uma das duas vagas. Dessa vez, eu estou do lado dos donos de clube que vão bombardeá-los de perguntas a fim de escolhermos, dentre os 12, quais serão as duas cidades a receberem a nossa liga nos próximos anos.

Em 2017, inauguramos o nosso próprio estádio, que levou 18 meses para ser construído. Um estádio de padrão europeu que é o segundo maior estádio específico de *soccer* dos Estados Unidos. No início de 2018, vendemos

8,63% do clube para um investidor canadense numa avaliação de cerca de 500 milhões de dólares (1,9 bilhões de reais), 9,5 vezes maior que o valor investido. Isso colocou o Orlando City, um clube em seu quarto ano de existência, como um dos mais valiosos das Américas, segundo a Revista Forbes, à frente de clubes centenários brasileiros, argentinos e mexicanos.

Como sempre, depois de toda a ansiedade e o medo na hora de saltar do *bungee jump*, quando chegamos ao chão com segurança, sentimos o prazer da adrenalina e reconhecimento até dos que estavam mais céticos.

Esse projeto é bem diferente de qualquer outro que realizei. Ele exigiu um grande aporte de capital, e por isso pode ser percebido de maneira bem material. Em apenas 18 meses, o mesmo tempo em que se aprende inglês na WiseUp, materializamos um estádio no coração de Orlando Downtown, ao lado da Amway Arena, onde o Orlando Magic – time da NBA – se apresenta todas as semanas. É um projeto com um forte componente de realização e que consegue tangibilizar sonhos, trazendo-os para o mundo real. De repente, eu estava no meio do campo com um microfone nas mãos fazendo o discurso de abertura histórica de nosso primeiro jogo na presença de 65 mil pessoas. Apesar de ter colocado cada tijolo dessa construção, não canso de me impressionar.

PONTO DE INFLEXÃO

Num momento de transição de minha vida, quando estava prestes a vender a WiseUp, em 2012, comecei a estudar a compra de um time de futebol em Orlando. A venda da WiseUp ocorreu e a compra do clube se concretizou no final do mesmo ano. Parece simples, mas não foi.

Eu estava contagiado por uma visão. Enxerguei que estávamos no *timing* perfeito para aquele investimento. Além disso, empreender nos Estados Unidos me atraía, em especial no setor de esportes.

Essa decisão foi um grande Ponto de Inflexão. Somou ao meu perfil fazer parte de um grupo seleto de empresários nos Estados Unidos. Um brasileiro da periferia, agora, sentado entre vários bilionários norte-americanos, e sendo respeitado por prefeitos e governadores, tornou-se o protagonista que mudou uma região da cidade de Orlando ao construir um estádio com recursos 100% privados e surfando um crescimento que multiplicou parte de seu patrimônio em 9,5 vezes.

Se eu disser que não imaginava isso, estaria mentindo. Dessa vez, eu imaginei exatamente isso, só que não tão rapidamente como se concretizou. Esse foi um Ponto de Inflexão que não me causou surpresa, mas me causou muito estresse para decidir mergulhar de cabeça.

Por isso, foi um Ponto de Inflexão que me exigiu coragem de saltar no desconhecido, num setor que jamais atuara e num mercado super competitivo que me demandou muito investimento.

Pode parecer uma loucura, mas quando estava prestes a entrar nesse projeto e pensava sobre seus riscos, cheguei à conclusão de que risco mesmo foram os 20 mil reais do cheque especial de que lancei mão quando abri minha primeira empresa, dezoito anos antes de ouvir o meu nome sendo gritado por milhares de torcedores, felizes por verem seu clube na principal liga profissional do país. Esses vinte mil reais do cheque especial, sim, representavam um grande risco em 1995. Por outro lado, para comprar o Orlando City, apesar da grande cifra, representava apenas uma fração do que havia conquistado e com uma visão e experiência muito maiores para avançar na execução do projeto.

Deu certo. Aliás, fazia tempo que não me chamavam de louco, mas começar esse projeto me deu uma vez mais o prazer de ouvir esse adjetivo de que tanto gosto.

10

MINHA FILHA

VOLTOU PARA CASA

Vocês podem imaginar a quantidade de vezes que ouvi a pergunta, "Por que você vendeu a WiseUp?", ou mais ainda, "Por que você resolveu recomprar a WiseUp?"

É bastante compreensível, porque, em geral, o brasileiro ainda não compreende bem o porquê de alguém vender uma empresa de sucesso. Para ele, se vendeu é porque estava bichada, não prestava mais ou estava em decadência. No inconsciente coletivo, vende-se apenas o que não deu certo. Fracassou? Vende. Mas não. Essas não são as únicas razões para alguém vender uma empresa. Para começar a explicar esse conceito tão simples, mas ainda não compreendido por muitos, preciso dar um passo atrás para apresentar um conceito, o de "sucessão".

Uma vez realizei uma palestra para herdeiros de grandes fortunas de clientes de um banco de investimentos em Nova Iorque. O tema era justamente este: sucessão. Comecei a palestra fazendo uma pesquisa e perguntei: "O que é sucessão? Defina.".

Os jovens presentes, todos muito bem-educados, estudiosos de faculdades em várias partes do mundo, a maioria deles sendo preparados para herdarem uma montanha de dinheiro, me responderam: "Sucessão é um processo de transição pelo qual passam herdeiros a fim de estarem preparados para perpetuarem o patrimônio da família", respondeu um rapaz em seus vinte e poucos anos de idade, que estudava em Oxford, na Inglaterra.

Eu disse, assim: "Hmmmm... desculpe. Sua resposta está errada.".

Ele me olhou perplexo, pois não pestanejou quando me respondeu porque a pergunta lhe pareceu mais do que óbvia. Dei um minuto de silêncio, olhando para cada um na sala, esperando mais alguma manifestação. E aconteceu. Uma menina, cursando MBA em Columbia Business School, um dos top 5 nos Estados Unidos, repetiu a mesma resposta, trocando apenas algumas palavras por achar que este seria o problema.

Então disse: "A resposta está errada. *Sorry*. Mas eu explico o que é sucessão para vocês."

Disse a eles: "Sucessão é um sucesso grande. Um SU-CESSÃO. Entenderam?"

Eles olharam uns para os outros, com uma lacuna de uns dez segundos de perplexidade até que um começou a rir e os demais também riram, depois de captarem o meu trocadilho. Na realidade, minha palestra para aquele grupo de mais de quarenta herdeiros era sobre o SUCES-SÃO – o sucesso grande – em vez de sucessão – o processo de transição entre gerações. É claro que a brincadeira com as palavras classificadas como homônimos perfeitos teve o objetivo de produzir uma provocação que passei a destrinchar na sequência.

Comecei a reflexão perguntando: "Quais são os possíveis destinos de uma empresa?"

Pense um pouco. O que pode acontecer com uma empresa a longo prazo? Pensa mais um pouquinho... Não há muitas alternativas. Eu só consigo enxergar três:

1. A empresa pode quebrar;
2. Seu proprietário pode morrer e sua empresa ser herdada;
3. A empresa pode ser vendida.

Eu já pensei muito sobre isso e até hoje não consegui imaginar outro possível destino para qualquer empresa, em qualquer setor e em qualquer país. Toda possível variação que imaginei caía invariavelmente em uma das três mencionadas acima. Vamos pensar em cada uma delas.

A empresa pode quebrar.

Ninguém pode encher a boca, bater no peito e dizer: "Minha empresa nunca vai quebrar". Isso porque estabilidade não existe e o mundo muda o tempo inteiro e o mercado nem se fala.

O Titanic era imbatível, a Kodak liderava seu setor no mundo, a Blockbuster bombava, as fábricas de máquinas de escrever nadavam de braçadas, as indústrias que construíam carroças geravam milhares de empregos todos os anos, o rádio um dia foi o principal veículo de comunicação, depois a TV, hoje a internet e amanhã? Ninguém está imune às mudanças que ocorrem a cada dia mais rapidamente e de maneira implacável.

Sim, sua empresa pode quebrar, seja porque você tomou alguma decisão errada cujo impacto não é possível

EU ESTAVA CONTAGIADO POR UMA VISÃO. ENXERGUEI QUE ESTÁVAMOS NO *TIMING* PERFEITO PARA AQUELE INVESTIMENTO.

reverter, seja porque a tecnologia o transformou num dinossauro em extinção da noite para o dia.

Seu proprietário pode morrer e sua empresa ser herdada.

Novamente, vou repetir o mantra: ESTABILIDADE NÃO EXISTE.

Ninguém pode bater no peito e garantir que estará vivo daqui a cinco minutos. Todos os dias, acidentes ocorrem, corações param de bater, cérebros explodem, o oxigênio falta e desaparecemos deste planeta. A morte não escolhe classe social, idade, cor de pele e tamanho de conta bancária. Seu dinheiro nada fará por você quando sua hora chegar. Nesse momento, você terá apenas frações de segundos para se lembrar daqueles que ama. Vou dar um exemplo muito triste para ilustrar. Enquanto escrevia este capítulo, um querido sócio minoritário do Orlando City, Wayne Estopinal, morreu junto com sua esposa quando seu moderno avião particular teve uma pane e mergulhou no chão para nunca mais voltar. Os dois pilotos também morreram.

- Quando o seu coração parar de bater, o seu filho estará preparado para tocar o seu negócio?
- Será que ele terá um interesse verdadeiro nisso?
- Será que os olhos dele brilharão como o do seu pai diante das ideias malucas que criaram a empresa?
- Será que ele será competente?

Como fazer planos de sucessão com todas essas dúvidas? Isso explica o fato de que muitas empresas quebram na hora da sucessão ou perdem o seu brilho e valor.

Não pensar nisso pode custar muito caro, e a probabilidade de errar é muito, mas muito grande. Então, para que considerar que essa é a única hipótese, como diz o senso comum?

Essa é a razão para eu ter concluído que a terceira opção – "A empresa pode ser vendida" – é sempre a minha escolha particular. Não dá nem para comparar. Para mim, criar um negócio do zero, fazer com que ele cresça, gere valor e por fim, vendê-lo antecipando mais de uma década de resultados para o meu bolso, me parece uma opção mais do que óbvia. Uma questão de matemática.

Vamos, então, destrinchar esses números.

Você já ouviu falar de EBITDA?

EBITDA é a sigla em inglês para *Earnings before interest, taxes, depreciation and amortization*. Em português, "Lucros antes de juros, impostos, depreciação e amortização" (também conhecida como LAJIDA). É um indicador muito utilizado para avaliar empresas de capital aberto. A depender do momento do mercado e da taxa de crescimento da companhia, será aplicado um múltiplo sobre o valor do EBITDA para definir a sua avaliação, ou seja, qual é o seu valor de mercado. Não quero ser muito técnico porque não é a nossa proposta neste livro, mas esses múltiplos variam de acordo com o risco do Brasil, que define uma maior ou menor taxa de desconto. Os múltiplos também variam de acordo com a oferta e a procura e que também é uma resultante de seu fluxo de caixa descontado – DCF, *Discounted Cash Flow*, em inglês – que é um modelo usado pelos analistas financeiros para estimarem o valor de uma empresa ou de um projeto através do custo de capital.

O que mais nos interessa neste momento é falarmos que um múltiplo X é aplicado sobre o EBITDA anual para avaliar uma empresa, resultante de um monte de fatores como mencionei anteriormente, mas nos concentremos nesse múltiplo.

Quando vendi a WiseUp, ela foi avaliada com um múltiplo superior a onze. Ou seja, o resultado de um ano de trabalho multiplicado por onze foi o montante final da avaliação e o que colocamos no bolso. Traduzindo essa fórmula com os valores já publicados, a WiseUp foi vendida por 960 milhões de reais e com 86 milhões de EBITDA auditado em seu balanço. Se dividir 960 por 86, chegaremos ao múltiplo: onze em números redondos.

O que você preferiria, pensando friamente, 960 milhões em sua conta fora do risco ou 86 milhões passando todos os anos dentro do campo de batalha?

Se considerarmos a taxa do CDI – Certificado de Depósito Interbancário, título emitido por um banco quando tem necessidade de tomar dinheiro emprestado de outro banco – que historicamente é na faixa dos 12% ao ano (atualmente mais baixo, mas que já esteve acima de 25% ao ano, recentemente), os 960 milhões de reais aplicados somente em CDI renderiam em média 115 milhões, um valor superior aos 86 milhões atribuídos ao resultado operacional da empresa no momento da venda.

Essa é a lógica matemática de uma venda. Porém, nem só de matemática vivemos nós. Há outros aspectos. Em meu caso, também considero que se pode chegar a um ponto em que o negócio já está construído e dali para frente passa a ser necessário apenas tocá-lo. Para quem é muito criativo, depois de ter construído tijolo por tijolo um grande projeto, fatalmente ficará entediado com a mera administração do dia a dia do negócio. Um construtor não gosta de ser síndico. Ele prefere assumir novos riscos, aprender mais e construir novos prédios.

Foi calcado no sentimento de missão cumprida com a WiseUp e decidido a construir novos prédios que a difícil decisão de venda da WiseUp foi tomada em 2013. Obviamente, as altas cifras também fizeram parte do processo decisório, mas como já havia negado muitas vezes, este não foi o principal fator para a decisão, no meu caso.

Meu envolvimento com as pessoas era um capítulo à parte. Lealdade e fidelidade foram parte de uma relação de duas vias. Sonhos, planos e realizações estiveram presentes em muitas comemorações que realizamos com executivos e franqueados, que apostaram nesse projeto a fim de construírem uma carreira em vários momentos de conquistas em quase duas décadas. Não era de se esperar que a decisão de venda da WiseUp fosse algo simples. Não foi, mas uma vez convicto de que esse ciclo havia terminado, segui em frente e procurei escolher o melhor comprador possível, dentre várias alternativas, para me suceder.

Pronto. No dia 7 de fevereiro de 2013, eu assinei a venda. Era dia de meu aniversário. Na sede de um megaescritório de advocacia em São Paulo, mais de uma centena de pessoas, entre advogados, contadores, assessores, executivos da compradora, auditores, banqueiros, conselheiros das empresas etc. cuidavam dos últimos detalhes. A quantidade de papéis era insana. As incontáveis pilhas de papéis ficavam em cima de uma mesa aguardando a hora final. Na sala ao lado, era frequente um entra e sai às vezes tenso de advogados que discutiam os últimos detalhes. Eu e Luciana chegamos cedo.

Os últimos dias antes da venda foram os piores. Já fazia dois meses e meio que estávamos no Brasil somente à espera da assinatura que a qualquer momento aconteceria, ou não. Não há certezas nessa hora. As duas partes podem desistir a qualquer momento depois de algum impasse, um *deal breaker*, linguagem usada no mundo dos negócios, que muitas vezes tem o seu idioma próprio.

Passamos esses dias em Búzios, num resort, onde as crianças tinham atividades de lazer todos os dias, enquanto perdiam aulas na escola nos Estados Unidos. Apesar de ser período de férias no Brasil, nos Estados Unidos, o calendário é invertido. A previsão era de apenas uma semana. Foram mais de 75 dias de espera.

Voltando às pilhas de papel em cima da mesa, o dia passou rápido e nada. A cada momento, novos detalhes apareciam. Ao lado da mesa, havia umas garrafas de champagne deixadas pelo escritório de advocacia em cortesia ao *deal* (negócio), que anunciavam um final feliz. O gelo derretido foi trocado várias vezes ao longo do dia para mantê-las geladas e preparadas para o momento final. Por volta das 23h, o meu advogado entrou na sala e disse que estava tudo pronto. Essa foi a hora em que várias pessoas entraram, sentaram-se à mesa e começaram as assinaturas.

O Édio, diretor comercial, autor da primeira matrícula da história da WiseUp, se aproximou e me entregou a caneta para eu assinar. Não era qualquer caneta. Era uma caneta que eu havia lhe dado de presente em 1997 em meu apartamento na Barra da Tijuca. Era a caneta com a qual eu tinha assinado o contrato social da WiseUp em 1995. Uma caneta que comprei no *freeshop* dentro do avião a caminho da Venezuela em 1993. Quando dei essa caneta para ele, num momento não tão favorável que ele estava vivendo, disse que ele seria um grande executivo no futuro e que aquela caneta assinaria contratos muito importantes. Pois bem, naquele dia se cumpria essa profecia. A partir daí, assinei, assinei, assinei, assinei e assinei até doer a mão. Foram mais de duas horas assinando até que terminássemos na madrugada. Meu CFO – *Chief Financial Officer*, ou diretor financeiro, em português – bateu no meu ombro e avisou que a transferência para nossa conta bancária estava confirmada. O negócio estava consumado. O advogado anfitrião tomou a palavra e fez o discurso, o comprador fez o discurso e eu também deixei o meu. As taças de champagne brindaram durante a madrugada paulista a concretização de mais de nove meses de diligências até aquele dia. A WiseUp não era mais a minha querida empresa.

A melhor descrição que eu consegui achar que pudesse retratar o meu sentimento naquele momento foi a que o pai sente ao ver sua filha se casando. O pai certamente se lembra das noites sem dormir, das vezes que embalou a filhinha em seus braços, das vezes em que chegou em casa e foi recebido por um abraço pulando no seu colo, das conversas na cama antes de dormir, beijinho de boa noite e de todas as vezes em que ficou ao lado do berço, observando o seu anjinho dormindo e sua respiração. De repente, ela encontra uma pessoa e decide ir embora de casa para viver com ela. No altar, o pai entrega o seu anjinho para essa outra pessoa e nada mais será como antes. Esse foi o meu sentimento.

Um sentimento que não parou no dia da assinatura. No dia seguinte, a notícia estava em todos os meios de comunicação. Ligações e mais ligações de amigos, executivos, franqueados e companheiros com quem dividi desafios nos últimos anos. Não tive tanto tempo nesse dia. Retornei para o Rio de Janeiro e de lá, no dia seguinte, seguimos toda família para Barcelona, onde moraríamos por um período. Tudo foi muito rápido. Como vocês podem imaginar, eu, Luciana e os três filhos estávamos no Rio de Janeiro e, por razões de segurança, em especial depois das notícias que continham altas cifras, não levamos mais do que 24 horas até a viagem.

Para viajar, Luciana e eu definimos uma regra para a família: em nossa mudança, cada um tinha direito a apenas uma mala grande. Nada mais. Roupas, brinquedos e qualquer pertence que não coubesse na mala deveria ser doado. De Barcelona para Londres, de Londres para Portugal e de Portugal para Orlando de volta, quatro anos depois, a regra continuava valendo. Desapego total.

Em Barcelona, tive a difícil tarefa de fazer a transição. Como vocês sabem, desde 2009, eu já trabalhava à distância. Foi o que continuei a fazer, dessa vez em Barcelona. Segundo o acordo que tinha com o comprador, eu estaria à disposição por um ano.

Três meses depois da aquisição, o Roberto Civita, fundador e controlador do Grupo Abril, faleceu. Foi um choque para todos. Eu tive o privilégio de conhecê-lo durante o processo de venda da WiseUp. Um homem culto, cordial e inteligentíssimo. Como todo proprietário de um grande conglomerado de comunicação, ele era amado por muitos e nem tão amado por outros. No entanto, Roberto Civita era um visionário apaixonado pela empresa e por seu projeto de impactar o Brasil com informação e educação.

Sua morte impactou muito os negócios da Abril, tanto de mídia como de comunicação. Segundo fontes internas, seus filhos não tiveram interesse em dar continuidade aos negócios e pediram aos gestores da companhia que a colocassem à venda. A WiseUp, recém-comprada, entrava num limbo por mais um ano, o tempo que o braço de educação da Abril precisou para ser vendido.

De longe, sem saber exatamente o que acontecia e quais seriam as intenções do novo proprietário, percebi o limbo no qual a empresa se encontrava. Os franqueados sentiram o mesmo, criando um ambiente de insegurança entre eles que suspenderam suas inaugurações até que compreendessem melhor o novo rumo da empresa.

Assim que a Abril Educação foi vendida para um fundo, os franqueados tomaram mais um susto. Era a segunda vez que eles estavam envolvidos em uma transação de mudança de controle em menos de dois anos. De longe, acompanhava todos os movimentos e, de vez em quando, atendia alguns franqueados que me procuravam em busca de um conselho.

No meio de todo esse contexto, o Brasil descia a ladeira na economia entre os anos 2014 e 2015. Manifestações por todo o país, alta do dólar, queda do PIB, instabilidade política, prisões de políticos e ameaça de impeachment fizeram parte do pano de fundo de um tempo complicado da história do país. Com uma liderança debilitada, a rede WiseUp sofreu e perdeu performance.

Confesso que esses quase três anos não serviram como uma colônia de férias na Europa para mim. Por mais que tivesse me esforçado, não fui capaz de me desligar, pois me preocupava com cada movimento e, muitas vezes, com a falta de movimento da nova gestão. Não interferi porque sabia que seria pior, mas sofri. Em alguns momentos, ouvi o que não queria ouvir. Diante das dificuldades, recebi questionamentos que não me pertenciam e decidi passar por tudo isso sem dar respostas. Não era hora de explicações. Era hora de quem estava à frente mostrar se era ou não capaz de gerir o negócio. Do lado dos franqueados, esse momento serviu para mostrar quem era quem. Foi uma experiência dura, mas muito valiosa.

No final de outubro de 2015, fui procurado pelo fundo que era proprietário da WiseUp. Eles me pediram uma reunião e os atendi prontamente. Um ano antes, eu havia deixado uma mensagem, dizendo que teria interesse em recomprar a WiseUp. Na ocasião, eles tinham acabado de comprar e não tiveram interesse. Então, achei que talvez eles estivessem interessados em me fazer alguma proposta para ajudá-los com uma consultoria ou algo do gênero.

Numa de minhas viagens ao Brasil, marcamos uma reunião. O clima não tinha muita fluidez até que eles foram direto ao assunto. Disseram que queriam focar mais na educação infantil e que a WiseUp era direcionada ao público adulto. Então, me perguntaram se eu teria interesse em retomar a conversa que eu iniciara no ano anterior. Minha resposta foi prontamente que sim, ainda mais que tinha naquela altura uma certa preocupação com o estado da rede, com a saúde financeira dos franqueados e com as consequências de três anos de trocas de donos, crises econômicas e uma gestão sem muita experiência no setor.

A partir desse dia, tínhamos que correr. Um processo de M&A – *Mergers and Acquisitions*, ou fusões e aquisições, em português – costuma levar não menos que 4 meses, num cenário muito acelerado. No meu caso, como estávamos no final de outubro, eu não tinha nem dois meses, pois, como conhecia bem a operação da WiseUp, eu precisaria estar na conferência anual da WiseUp, que sempre acontece na primeira semana de janeiro, com o assunto resolvido. Ou seja, eu teria que estar pronto para subir ao palco do Citibank Hall como o mais novo proprietário da WiseUp.

Uma das principais perguntas que ouvi quando vendi a WiseUp foi: "Por que decidiu vender?". Quando eu a recomprei, a principal pergunta foi: "Por que decidiu recomprar?".

Obviamente, tenho boas razões, pelo menos para mim, para recomprar a WiseUp, e não há razão para omiti-las. São elas:

1. A WiseUp não ia bem. Eu temia pelo pior. Depois de recomprá-la, pude atestar que o motivo de minha preocupação com seu futuro era correto. A empresa passava por dificuldades e não creio que teria um bom desfecho a curto prazo;
2. A WiseUp tinha colaboradores e franqueados que eu respeitava e desejava o melhor para eles. Eu poderia pensar: "Eu não tenho nada com isso." De fato, não tinha qualquer responsabilidade, mas tinha desejo de ajudar. Não queria ver essas pessoas por quem tenho tanta consideração passando por dificuldades, ao meu ver, desnecessárias, porque eu sei que eu poderia entrar e ajudar a resolver;
3. Eu criei o modelo da WiseUp. Eu conheço cada parafuso que precisava ser apertado. De longe, sem saber detalhes dos sintomas para dar um diagnóstico, eu fiz deduções de possíveis caminhos para solucionar os problemas e suas causas. Mais de 90% de minhas premissas estavam corretas e pude constatá-las logo que reassumi a operação;
4. A oferta de recompra da WiseUp representava um valor satisfatório para quem estava vendendo, pois representava a solução de um problema para eles sem solução até aquele momento, e um valor extremamente atrativo para mim, em relação ao valor pelo qual eu vendi a empresa em 2013 e em relação ao que eu sabia que era capaz de ajustar;

5. Este quinto motivo é bem pessoal, não é técnico e refere-se apenas a mim. Eu quis ter esta história. Eu quis poder contar isso como estou contando e vou contar nas próximas páginas. Quis isso para minha biografia. Criar uma empresa do zero, expandi-la para todo o país, vendê-la por uma cifra bilionária, recomprá-la naquela condição ruim e, em muito pouco tempo, levá-la a valer mais do que quando foi vendida inicialmente. Quanto vale essa história? Para muitos, nada. Para mim, apenas para mim, vale muito.

Entramos no processo de diligência – uma equipe de advogados, contadores, auditores e alguns de meus executivos, liderados pelo CFO de meu *Family Office* (estrutura criada para fornecer assessoria completa para famílias com considerável patrimônio, que abrange as áreas jurídica, contábil, fiscal e de investimentos).

Tudo tinha que ser muito rápido e eficaz. Comprar uma empresa e não levar em conta possíveis contingências fiscais, trabalhistas e civis pode gerar resultados desastrosos. É como assumir uma bomba pronta para explodir em suas mãos. Por isso, o trabalho minucioso de uma equipe de advogados tem a finalidade de prevenir eventuais surpresas desagradáveis. No meu caso, como conhecia o modelo de negócios muito bem, sabia onde exatamente deveria dar mais atenção. No caso específico da WiseUp, eram os franqueados o meu maior ponto de atenção, mas não podia abordá-los, pois todo o processo precisava ser feito com total confidencialidade.

Assim que concluímos as verificações, consumamos o negócio, que, dessa vez, custou uma fração do valor inicial: 390 milhões de reais. Resumindo:

Era uma tarde do dia 15 de dezembro de 2015 num escritório de advocacia localizado na Avenida Brigadeiro Faria Lima, em São Paulo. Algumas dezenas de profissionais entre advogados, contadores, auditores e executivos se reuniram para o fechamento de um *deal* (negócio), a recompra da WiseUp... bem, vocês já conhecem esse roteiro. Levamos o dia inteiro e vou saltar logo para o final, beleza?

Assim que meu advogado me avisou que estava tudo pronto, o Édio me entregou a caneta. Sim, aquela mesma caneta. Eu assinei todas as páginas. Todo mundo fez o seu discurso, estouramos o champagne e no dia seguinte, estávamos todos de volta em vários meios de comunicação com a notícia. No total, foram cinquenta dias para concluir o processo de aquisição, um recorde, mas não tínhamos tempo a perder.

Em 2013, quando vendi, cem por cento das minhas doze horas diárias de trabalho eram dedicadas à WiseUp. Agora, no momento da recompra, o Orlando City estava bombando nos Estados Unidos, o meuSucesso.com já tinha matriculado quase o mesmo número de alunos da WiseUp e o meu primeiro livro estava fechando 2015 como o livro de negócios mais vendido do Brasil. Eu havia me tornado uma pessoa pública e, definitivamente, o Flávio Augusto que vendeu a WiseUp era uma pessoa completamente diferente daquele que recomprava sua primeira empresa.

Minha primeira providência, ainda quando estava no meio das diligências, foi contatar vários de meus diretores que não estavam mais trabalhando na WiseUp. Alguns, porque já estavam em outros projetos, e outros porque foram desligados pela gestão anterior. Contatei um por um e os contagiei com a ideia maluca de comprar a WiseUp de volta. No dia do fechamento do negócio, eles estavam juntos comigo. Eles brindaram comigo e no dia seguinte nos reunimos para fazer planos. Todos eles acharam que esse dia jamais aconteceria. Saíram da empresa para não voltar mais, porém, estavam todos entusiasmadíssimos pelo desafio do retorno. Esse grupo nós chamamos carinhosamente de *Avengers*.

Depois de me reunir com os *Avengers*, logo depois do almoço, fui até a sede da WiseUp, que ficava na Avenida Paulista, onde hoje funciona o meuSucesso.com e a Buzz Editora. Era um andar de um prédio que comprei no final da década de 90 e estava alugado para a empresa. A sede, que funcionava em Curitiba num prédio que construímos, havia sido transferida para São Paulo. O objetivo da visita era conhecer a equipe da franqueadora. Não conhecia a maioria das pessoas, pois eram novos contratados, depois que o time antigo havia sido dispensado.

A reunião aconteceu numa área aberta onde todos trabalhavam em estações de trabalho. Era um ambiente moderno e despojado. O time era jovem e bem qualificado. A tensão era grande. O tal Flávio Augusto de quem tanto se falou e que vemos na internet agora é o novo dono.

Ao começar a reunião, dei boa tarde e disse que seria bem honesto e transparente com todos. Além disso, disse que tinha selecionado algumas perguntas que presumia que todos teriam e trataria de respondê-las sem rodeios. No final, disse que estaria aberto para novas perguntas. Então comecei, fazendo a mim mesmo as perguntas:

1. A sede continuaria em São Paulo?
   Não. Mudaremos de volta para Curitiba;
2. Vai haver demissões?
   Sim. A Elisa Simões – que fazia parte dos *Avengers* – vai assumir a gestão com vocês diretamente e vai conhecer todos para fazer uma

avaliação de cada talento. Todos terão oportunidade;

3. Quando serão as demissões?
A qualquer momento, mas independentemente de quando cada um seja demitido, eu vou dar, além de todos os direitos trabalhistas, três meses de aviso prévio para que os dispensados possam buscar uma nova posição de trabalho em outra empresa.

As perguntas prosseguiram pela hora seguinte e, depois, eles fizeram as perguntas que quiseram e eu respondi a cada uma delas com toda atenção e respeito. Ao final da reunião, foi a primeira vez em toda a minha vida que, ao dar a notícia que faria várias demissões, terminei a reunião sendo aplaudido. Na realidade, eles se sentiram respeitados pela transparência e honestidade com que foram tratados.

Esse processo durou três meses. Elisa avaliou cada funcionário para que soubéssemos quem seria transferido para Curitiba e os que seriam dispensados. Enquanto isso, do outro lado, a Elisa e os outros *Avengers* contatavam os funcionários antigos que haviam sido dispensados, convidando-os para retornarem. Muitos deles, trabalhando em outros locais, deixaram tudo de lado e entraram de volta no prédio, que estava bem destruído, de cabeça erguida para reconstruir a WiseUp. O clima era de festa. A disposição era de fazermos melhor do que nunca, mas os desafios não tinham nem começado...

Enquanto Elisa fazia o trabalho de avaliação na sede da WiseUp em São Paulo, antes da mudança para Curitiba que estava programada para abril, eu mergulhei com a Luciana no fluxo de caixa da franqueadora. Este foi o

SUCESSÃO É UM SUCESSO GRANDE. UM **SUCESSÃO.** ENTENDERAM?

calcanhar de Aquiles da gestão anterior: ter desequilibrado esse fluxo com erros básicos de gestão, aliado a descontrole dos custos. Para que vocês tenham uma ideia, quando vendi a empresa em 2013, tínhamos uma despesa mensal ao redor de 5,5 milhões, atendendo uma rede com 396 escolas. Quando recomprei, a rede tinha encolhido para 250 escolas, mas não as despesas, que em janeiro batiam mais de 13 milhões de reais. A necessidade de aporte financeiro, que começou em outubro de 2015, na mesma época em que fui contatado, no mês de janeiro era de 8 milhões de reais.

Assim, enquanto Elisa avaliava a equipe em São Paulo, nos primeiros dois dias que metemos a mão no leme de comando daquele transatlântico construímos um plano de ação muito bem desenhado e com traços que me lembraram muito a história do gafanhoto que contei num dos capítulos anteriores. Dessa vez, não havia qualquer constrangimento em esmagá-lo. Não mesmo!

Com o desenho pronto, agora era necessário implantá-lo. Para isso, havia uma ponta muito importante, sem a qual não seria possível qualquer execução: o franqueado. Para entender como foi essa ação é preciso compreender melhor como funciona a gestão desse personagem bastante peculiar de nosso modelo. Infelizmente, muitos do mundo corporativo têm dificuldade em interagir com o franqueado, pois não conseguem compreender bem o seu papel. Por mais que digam compreender conceitualmente, na prática, escorregam demais e tornam-se inaptos em administrar esse recurso humano. Um franqueado não é um sócio, não é um funcionário e nem um executivo. Mas então, o que é um franqueado? A resposta é simples: um franqueado é um franqueado. E essa obviedade precisa ser compreendida em sua essência. Grandes grupos quando compram redes de franquias pecam na gestão porque erram no trato com o franqueado. Sem paciência, empurram decisões goela abaixo, cobram resultados como se estivessem falando com seus executivos e não respeitam a autonomia de quem investiu dinheiro no seu próprio negócio.

Eu trabalho com franqueados há dezoito anos. Um franqueado é alguém que sonhou em ter o seu próprio negócio, mas decidiu abrir uma franquia por considerar mais seguro, com uma marca bem sólida e com práticas testadas e aprovadas. Um franqueado pagou para ser liderado, para receber um pacote de experiências que deram e não deram certo. Tratá-lo como empregado é um erro mortal. Um franqueador deve ter um papel de líder, de professor, de mentor, de parceiro, de apoiador e, acima de tudo, de alguém que tem uma visão da melhor direção estratégica para o negócio. Ele tem essa visão privilegiada justamente porque tem experiência e autoridade no negócio e por enxergar em perspectiva por estar fora da operação.

Quando eu retornei, percebi a rede sem liderança, machucada e cheia de incertezas. Além disso, várias modificações no produto e na arquitetura de marcas que deixavam muitas dúvidas. Mas o que ninguém sabia era que o maior problema estava na franqueadora. Ela estava literalmente quebrada, com um deficit de caixa de 8 milhões de reais por mês. Obviamente, eu vi isso, mas alguém pode perguntar: "Flávio, você não se assustou?". Não, porque, como criei esse negócio, sabia exatamente que parafuso apertar e onde priorizar o *turn around* (virada de jogo) da companhia.

Dia 26 de janeiro, São Paulo, no auditório do Hotel Transamérica. Todos os franqueados do Brasil compareceram para mais uma reunião, depois da conferência do início do ano. Dessa vez, o papo era reto em torno da realidade que havia constatado. O objetivo era mostrar todos os problemas e apontar a solução para cada um deles. A reunião durou 6 horas sem interrupções. Eu não parei nem para ir ao banheiro nesse período. Era uma reunião decisiva. De um lado, um grupo de franqueados num momento confuso, entre a alegria de meu retorno para alguns e as incertezas colecionadas dos últimos três anos de descompassos e três diferentes donos (eu era o terceiro) para outros. Do outro lado, um maluco que recomprou sua empresa sabendo de todo esse quadro, mas sabendo exatamente o que fazer e decidido a arrastar todo mundo que se colocasse na frente. Eu me sentia forte o suficiente para, diante de 450 franqueados, ampliar a visão e, com toda segurança, liderar aquele grupo para uma história bem diferente.

Logo no início da reunião, abri a real para todos. Disse sobre os 8 milhões de reais por mês de aportes financeiros necessários na franqueadora para ela pagar suas contas. Todos se assustaram, pois eles achavam que o maior problema de todos se encontrava nas franquias. Não, mostrei a eles que estava na franqueadora. Disse que aportar 100 milhões de reais por ano não era sustentável, mas que essa era a realidade depois dos três anos em que havia me ausentado. Em seguida, contei a eles uma metáfora: "A WiseUp é um grande transatlântico. Lindo e exuberante. Porém, um transatlântico que bateu num iceberg e está afundando. Vocês estão dentro deste transatlântico e todos vão morrer. Poucos sabem disso, eu sei e agora vocês também sabem. "Vou explicar a vocês o que está acontecendo. Eu estava sobrevoando esse transatlântico em meu helicóptero e vi que ele está afundando. Quando me aproximei vi cada um de vocês e vi que vocês morreriam. Pedi a meu piloto para se aproximar. Algumas pessoas me viram e pediram para que eu as salvasse. Eu joguei a escada e as pessoas queriam subir no helicóptero. Disse para não subirem e, em vez disso, eu desci no barco que afundava. Ao chegar lá embaixo, olhei para o meu piloto e disse para ele: Vai embora para o porto e me aguarde lá.".

Nessa parte, todos estavam de olhos arregalados, ouvindo atentamente e com um silêncio mórbido no auditório. Continuei me dirigindo a eles diretamente:

"Senhores, agora eu estou dentro do transatlântico que está afundando junto com vocês. Se vocês morrerem, eu vou morrer junto com vocês. Porém, eu sei exatamente o que fazer para esse navio não afundar. Eu sei exatamente" – repeti com muita ênfase – "o que fazer para vocês e eu não morrermos. Nessa reunião eu vou apontar a direção e o que eu espero é que todos sigamos juntos nessa direção.".

Primeiro, mostrei como eu reduziria as nossas despesas da franqueadora de 13 milhões para 5,5 milhões novamente. Falei da quantidade de pessoas que seriam demitidas, da equipe que seria recontratada, da mudança para Curitiba, dos erros na arquitetura de marcas, no remodelamento de todos os produtos e do cronograma em que faríamos tudo isso. Em paralelo, a principal mudança, essa dependeria da adesão de toda a rede: a mudança na forma de pagamento do material didático, o principal erro. O material sempre foi vendido pela editora e comprado pelo aluno de duas formas: cartão de crédito e cheques pré-datados (em noventa por cento dos casos). A gestão anterior trocou a forma de pagamento via cheques para boletos. Um erro básico. Cheque é pagamento. Boleto é uma promessa de pagamento. Sendo assim, a inadimplência havia saltado de 2,5% para 42%. Isso significava faturar a venda dos materiais didáticos e pagar impostos, mas não receber. Contabilmente existia um resultado, mas o caixa não acompanhava por conta da inadimplência. Essa era a principal razão do desequilíbrio de caixa que tornava necessário o aporte de 8 milhões de reais mensais.

Era preciso acabar com a modalidade de pagamento boleto e implantar novamente a modalidade de cheque. A solução era realmente simples, mas executá-la em mais de 250 escolas não era uma tarefa fácil, a menos que existisse uma liderança que fizesse com que a rede se movesse em bloco. Foi isso que conseguimos em apenas uma reunião. A adesão foi total, os franqueados se engajaram por entenderem que estávamos diante de um Ponto de Inflexão decisivo, pois estávamos todos no mesmo barco. No mês de fevereiro, o aporte foi de 4 milhões; em março foi de 1,5 milhão; em abril, com as antecipações de recebíveis, não foi necessário aportar dinheiro; e em maio, sem qualquer antecipação, o caixa se equilibrou novamente. Um ano depois, a empresa havia gerado dezenas de milhões de caixa.

Em paralelo à reestruturação financeira e dos processos de venda de material didático nas franquias, atuamos diretamente na área comercial, onde sempre tivemos uma grande fortaleza. O time que trabalhava nessa área também não estava como deveria. Houve um forte trabalho de resgate de mentalidade e de alinhamento de valores. Essa equipe foi remontada. Alguns conseguiram acompanhar, outros, não. Dezenas de milhares de novas matrículas eram feitas durante o ano. Do lado do produto, uma esteira de pesquisa e desenvolvimento foi fundamental para mudarmos todos os produtos para serem implantados num espaço de um ano e meio.

O ano de 2017 começou e passamos a vender novas franquias. Uma nova safra de franqueados, muitos oriundos do *Geração de Valor*, se juntaram à rede. Sangue novo que se juntava a uma equipe em recuperação empurrava para frente o nosso lindo transatlântico, onde agora não entrava mais água. Em maio de 2017, uma grande notícia:

Carlos Wizard, meu antigo concorrente que tanto tentou me comprar e que vendeu a Wizard em 2013 para um grupo britânico, tornou-se sócio da WiseUp. Ele comprou por 200 milhões de reais 35% da WiseUp, e criamos a *holding*, Wiser Educação. Agora precisávamos de uma *holding* justamente porque nosso plano era comprar várias marcas do setor, criando a maior rede de escolas de inglês do Brasil. Dois bilionários, os dois mais fortes desse setor, agora unidos para construir uma nova história. No mês seguinte, o mercado, sentiu a pressão. Compramos a empresa *top of mind* de Minas Gerais, a Number One, com mais de quarenta e cinco anos de funcionamento no mercado. A notícia ecoou no mercado. Esses dois juntos vão fazer muito barulho, muitos pensaram. Ainda não viram nada.

2018 começou com toda força. Seria um ano difícil. O país parou com a prisão do Lula, com a greve dos caminhoneiros, com a Copa, com os feriados infindáveis que caíram em datas ingratas e com os dois turnos das eleições mais conturbadas da história do Brasil. Tudo isso, atrapalhou muito a performance comercial de todas as empresas do país. Ainda assim, mais de 40 escolas foram abertas e o crescimento superou os 50% nos resultados da Wiser Educação, fazendo com que o grupo, segundo avaliação do mercado, tenha superado o seu maior valor histórico alcançado no momento da venda em 2013. Ufa. Deu certo de novo...

PONTO DE INFLEXÃO ▬▬▬▬▬▬▬▬

Está mais do que claro que, se não tivesse recomprado a WiseUp, ela teria quebrado em poucos meses. Seria insustentável aportar 8 milhões por mês, quase 100 milhões por ano.

O que representaria para mim, à distância, ver quebrar a primeira empresa que criei e que tem um modelo de negócio inacreditavelmente fantástico?

Quando recebi a proposta de recomprá-la, eu poderia simplesmente achar que não queria mais ter dor de cabeça ou não ter a disposição de assumir os riscos em meio a uma enorme confusão da política e da economia brasileiras.

Mas o que representaria para mim comprar a WiseUp de volta por 390 milhões de reais?

O que representaria fazer o seu *turn around* (virada de jogo)?

O que representaria vender 35% numa avaliação de 200 milhões para o Carlos Wizard?

O que representaria comprar a Number One?

O que representaria estabelecer um ritmo de crescimento nos resultados na ordem de 50% ao ano?

O que representaria abrir quarenta novas escolas em plena crise?

O que representaria ser avaliado por mais de 1 bilhão pelo mercado?

O quanto significaria ter essa história para contar e tantas outras coisas que ainda estão por vir que ainda não posso revelar aqui neste livro?

Dentre os meus objetivos, eu queria ter essa história. Se acabasse aqui, eu estou escrevendo e compartilhando essa experiência com você. Não tem preço.

Este é um Ponto de Inflexão que me desafiou aos quarenta e seis anos de idade, quando não tinha nada mais a provar, mas que eu tive mais uma vez o prazer de calar todos aqueles que duvidaram. Pode parecer estranho, mas, nessa altura da vida, depois de tudo que realizei, soube de comentários do tipo: "Dessa vez ele errou. Vai afundar como um Titanic esse transatlântico.".

Não que isso me motive, porque me motivo por razões muito maiores do que essas, mas calar a boca dos abutres e fazê-los engolir a sua língua sempre foi divertido.

O ETERNO RECOMEÇO

Muita gente me pergunta: "Como é ter chegado lá? Como é ter chegado no topo?" Eu costumo responder que ainda não cheguei a lugar algum. Simplesmente, eu continuo indo. Indo para onde? Na direção de um eterno recomeço. Parece contraditório, eu sei, mas para mim faz muito sentido. Observe a imagem da página seguinte:

Já faz mais de seis anos que postei esta imagem pela primeira vez nos perfis de redes sociais do *Geração de Valor*. Ela já foi visualizada por dezenas de milhões de pessoas em vários países, recebendo sempre um enorme *feedback*. A primeira leitura, a mais imediata e eficaz, transmite um enorme conforto a seus observadores, pois muitos deles passam por momentos difíceis e identificam que essas adversidades fazem parte da FASE 1 em que se encontram. Então, fica claro que a primeira fase é mesmo a mais difícil, quase impossível. Mas a mensagem dessa imagem não para por aí. Ela também mostra que as fases seguintes ficarão cada vez mais fáceis. Inicialmente, a imagem transmite uma mensagem de conforto no presente e ao mesmo tempo, uma mensagem de esperança para o futuro.

Recentemente fiz a seguinte pergunta aos usuários do aplicativo do *Geração de Valor*: "Olhando para a imagem, em qual fase você se encontra?"

Esse exercício provocou excelentes reflexões e conclusões interessantes. Porém, ao me perguntarem em que fase eu estaria, eles ficaram surpresos com minha resposta. Disse que eu me encontrava na FASE 1. "Como assim?", um deles perguntou.

A busca constante por novos Pontos de Inflexão, por novos desafios, por mudanças de vida, pela subida de novos andares e pelo desenvolvimento do próprio potencial, sem se acomodar, sem enterrar os talentos e sem ser controlado pelo medo de perder – ao contrário, movido pelo desejo de conquistar ainda mais e melhor – fará com que vivamos num eterno recomeçar e que sejamos frequentadores da FASE 1.

A cada Ponto de Inflexão, saímos da zona de conforto. Pare para pensar em cada um dos dez Pontos de Inflexão que descrevi para vocês e vejam como minha vida mudou em cada um deles. Por um lado, foi extraordinariamente rápido e com resultados incontestáveis, mas, por outro, houve um preço a ser pago. A cada Ponto de Inflexão, voltei para a FASE 1, só que do andar de cima. Tudo era novo e não dominava mais aquele território. Tinha que sentir as dores de minhas limitações naquele novo momento, enquanto aprendia coisas novas e me desenvolvia. Cada ponto de Inflexão que vivi funcionou como um MBA, e saí de cada um deles melhor do que entrei.

Para muitos, a melhor notícia do mundo é o que a imagem transmite. "No futuro será tudo mais fácil". A minha leitura é diferente: quando tudo poderia ficar mais fácil, eu vou renunciar à minha zona de conforto e vou retornar à FASE 1 de um patamar mais elevado. Os acomodados acham isso insuportável. Para mim, insuportável mesmo é ficar fazendo a mesma coisa por 30 anos, o que explica o fato de muitos odiarem as segundas-feiras e amarem as sextas-feiras.

Alguns me perguntam: "Você demorou para se adaptar a esse estilo de vida?" Eu respondo que, no início, eu me adaptei rapidamente, porque meu apetite para crescer era tão grande que achei barato o preço que estava pagando e entendia que caro mesmo é a estagnação. Mas com o passar do tempo, eu passei a desejar as mudanças e as dores do crescimento. Quando tudo começa a ficar muito repetitivo e muito sob controle, pode ser sinal de que estou me acomodando. A acomodação fede, ela é uma areia movediça que mata lentamente o nosso entusiasmo. Parece bom, parece prazeroso, mas dura muito pouco tempo.

"Mas esse estilo de vida não gera muito estresse?".

Sim, mas perceba que o simples ato de respirar gera estresse. No entanto, penso que o estresse gerado pelo fracasso e a estagnação é muito maior do que o estresse vivido por uma vida repleta de Pontos de Inflexão. A mesmice é extremamente entediante e estressante, enquanto uma vida repleta de novos roteiros e aventuras é completamente excitante, de tirar o fôlego é inesquecível. Por que admiramos atletas, os que sobem o Everest e os que resolvem largar seus empregos para darem uma volta ao mundo? Admiramos porque nos inspiramos em conhecer histórias de pessoas que abriram mão da rotina proposta pela linha de montagem da sociedade e tiveram a coragem de viver os seus sonhos. Admiramos isso, mas nem sempre tomamos a coragem de sermos os próximos da fila.

Nos dez Pontos de Inflexão que apresentei neste livro, tive vários tipos de experiências. Em algumas delas, não tinha a menor ideia de que estava passando por situações que mudariam minha vida para sempre. No entanto, em outros, minha consciência sobre o Ponto de Inflexão era tão grande que me desgastei mais do que o necessário. Em apenas um deles, o Ponto de Inflexão foi decidido por uma pessoa que sequer me conhecia.

A melhor maneira de encerrar este livro será falando de um próximo Ponto de Inflexão. Falando sobre o maior de todos eles, o que jamais vivi e que marcará o meu futuro com grande impacto. É um Ponto de Inflexão que está em construção. Ainda não tenho todas as respostas, mas as que tenho vou compartilhar com vocês.

Sem mais rodeios, está decidido que, até 2022, deixarei de ser empresário. Não terei mais empresas e, aos cinquenta anos de idade, não me aposentarei. Ao contrário, pretendo manter o mesmo ritmo de trabalho, porém, priorizando projetos sociais de grande impacto, no sentido de resolver algum problema importante na sociedade. Tenho vários em mente, mas nada que possa ser antecipado agora, pois ainda tenho quatro anos para decidir o caminho a seguir.

Com um patrimônio que poderá ser maior que 5 bilhões de reais em 2022, aos cinquenta anos, acharia muito repetitivo trabalhar por mais dez anos para elevá-lo para 50 bilhões. Os homens mais ricos do Brasil tinham menos patrimônio do que eu quando tinham minha idade. Numa situação normal, no caminho em que me encontro, seria apenas uma questão de tempo também chegar lá. Mas para quê? Pois é, quero mudar. Quero um novo Ponto de Inflexão. Quero trocar mais algumas dezenas de bilhões de reais por uma vida que, para mim, terá mais significado. Afinal, 5 bilhões ou 50 bilhões, que diferença fariam em minha qualidade de vida? Sinceramente, nenhuma. Então, a partir de 2022, o jogo que quero jogar não será mais um jogo de um monte de zeros em minha conta bancária. Esse jogo, até lá, eu já terei concluído com sucesso. Missão cumprida!

Estou com fome de bola por um novo jogo. Um jogo em que minha única remuneração será a satisfação por ver a mudança na vida de pessoas que hoje são rejeitadas por essa sociedade hipócrita.

Essa é a hora em que alguns sempre me perguntam: "Política, Flávio?".

Eu acho que não, mas ainda é muito cedo.

Uma coisa é certa: quero ser um Ponto de Inflexão na vida de outras pessoas e dedicar cem por cento do meu tempo a isso.

Como será? Ainda tenho quatro anos para descobrir essa resposta.

REFLEXÕES FINAIS

Para encerrarmos, vou propor TRÊS REFLEXÕES:

1. Quais foram os Pontos de Inflexão que você viveu em sua vida até o momento?

Geralmente, uma pessoa média vive poucas mudanças. Em geral, a escolha da carreira quando presta um vestibular, o casamento, os filhos, e quase todo mundo para por aí. Às vezes, as coisas mudam porque houve uma demissão inesperada ou outros percalços que a vida lhe pregou, mas mudanças mesmo, promovidas voluntariamente, são coisas raras.

2. Quais foram os Pontos de Inflexão que você deixou de viver por medo ou insegurança?

Não tomar uma decisão, por definição, é uma autêntica decisão de não decidir coisa alguma. Vamos tocar nessa ferida. Se você já viveu isso, relacione abaixo.

3. Por fim, assim como eu que planejo um Ponto de Inflexão em 2022, o que você planeja para sua vida para os próximos cinco anos? Vai mudar alguma coisa ou ficará como está?

Escrevi este livro, abrindo muitas particularidades e intimidades, para que você pudesse estudar um pouco sobre meu padrão mental e sobre os desafios que vivi até o momento, desde quando frequentava uma escola pública na boca de uma favela no Rio de Janeiro até o que pretendo realizar aos meus cinquenta anos de idade. Tudo isso tem apenas um foco: você. Eu não sou o foco de toda esta narrativa. Eu sou apenas uma referência usada para ilustrar a mensagem de que você tem uma vida inteira pela frente cheia de decisões e Pontos de Inflexão.

Eu desejo que você tenha muita história para contar, aventuras para viver e Pontos de Inflexão de tirar o fôlego.

NÃO TENHA MEDO.

SALTE DE BUNGEE JUMP.

Reimpressão, junho 2024

Fontes TIEMPOS, CIRCULAR
Papel ALTA ALVURA 90 g/m²
Impressão IMPRENSA DA FÉ